11

兒童
華語課本

CHILDREN'S
CHINESE READER

中英文版

Chinese-English
Edition

OVERSEAS CHINESE AFFAIRS COMMISSION
中華民國僑務委員會印行

序言

 我國僑胞遍佈全球，為加強服務僑胞，傳揚中華文化，推動華語文教學，本會特邀集華語文學者專家於民國八十二年編製這套「兒童華語課本」教材，並深受各界肯定。近年來，採用本教材之僑校持續增加，為使這套教材更適合海外需求，本會將繼續了解並彙整僑校教師意見，以供未來編修之用。

 本教材共計十二冊，適於小學一至六年級程度學生使用。每冊四課，以循序漸進的方式編排，不但涵蓋一般問候語到日常生活所需詞彙，並將家庭、學校與人際互動等主題引入課文中。從第七冊起，更加入短文、民俗節慶、寓言及成語故事，使學生在學習華語文的同時，也能對中華文化有所體認。

 為讓學生充分了解並運用所學語言及文字，編輯小組特別逐冊逐課編寫作業簿，以看圖填字、文句翻譯、問答等方式提供學生多元化練習的機會，進而加強學生的語文能力。

海外華文教材推廣的動力在華文教師，是以在課本、作業簿之外，本套教材另提供教學指引及電化教材，教師可靈活運用其中之各項資料，以加強教學效果，提昇學習興趣。

　　語言的精進，端賴持續不斷練習，然而海外學習華語文的環境卻有其時間及空間的限制，必須教師、家長與學生三方密切合作，方能克竟其功。我們希望教師能善用本套材之相關教學資源，提供生動活潑的學習環境，學生家長能參與課後各項輔導活動，讓學生在生活化及自然化的情境中學習，以突破學習的困境。

　　本套教材之編製工作繁複，我們要特別感謝熱心參與的專家學者，由於他們精心地規劃與認真地編寫，使本教材得以順利出版。僑教工作的推展，非一蹴可幾，本會今後將積極結合海內外專家學者及僑教人士，共同爲改良華語文教材、提昇華語文教學水準而努力，使僑教工作更爲深化扎實。

僑務委員會委員長

張　富　美

FOREWORD

Today overseas compatriots are located in all corners of the world, and it is important that as part of our services to them, we ensure they also have access to the Chinese culture and language education enjoyed by their fellow countrymen. To this end the Overseas Chinese Affairs Commission had invited academics and professionals of Chinese language education to compile the *Children's Chinese Reader* textbook series. Completed in 1993, the compilation received popular acclaim, and since then a continuously increasing number of overseas Chinese schools have based their teaching upon this series. In order to make *Children's Chinese Reader* even better adapted to the needs of overseas teachers and students, the OCAC welcomes the comments and feedback of teachers at overseas Chinese schools for future revisions.

Children's Chinese Reader consists of 12 books and is suitable for primary students from grades 1 to 6. Each book contains 4 step-by-step lessons in increasing levels of difficulty, which not only cover general greetings and vocabulary commonly used in daily life, but also incorporate such themes as family, school and social interactions. Starting from book 7 the lessons introduce short stories, folk celebrations, traditional fables and proverb stories, so that students of the Chinese language may also gain an understanding of Chinese culture.

In order to help students fully comprehend and utilize the vocabulary and knowledge acquired, editors of *Children's Chinese Reader* have designed workbooks that correspond to each textbook in the series. Through fill-in-the-blank questions, sentence translations, and Q and A formats, these workbooks offer students the opportunity to practice in a number of different ways, so as to further enhance their language skills.

Teachers of the Chinese language are the main driving force behind overseas Chinese education. Therefore, in addition to textbooks and workbooks, *Children's Chinese Reader* also offers teaching guidelines and electronic materials that teachers may flexibly adapt as necessary. With these supplementary materials, it is hoped that teachers will be able to inspire the interest of students and achieve their educational goals.

Consistent practice is the key for progress in learning any new language, but students learning the Chinese language overseas are often hampered in their learning environment in terms of time and space. Therefore successful studies will depend on the joint efforts of teachers, parents and students. We hope that teachers will be able to make full use of the educational resources offered by *Children's Chinese Reader* to provide students with a lively and fascinating learning environment. If parents of students can also participate in the various extracurricular activities organized by schools, then students will be able to learn through a daily and natural environment that overcomes barriers to learning.

The compilation of *Children's Chinese Reader* has taken the dedicated and tireless efforts of many people. In particular, we must thank those academics and professionals who have willingly given their time and expertise. It was only because of their meticulous planning and painstaking care in drafting that the series successfully came to be published. Propagation of Chinese language education overseas is not a work that can be completed in the short-term. In the future, the OCAC will continue to cooperate with local and overseas professionals and educators in further improving teaching materials for the Chinese language and enhancing the quality of Chinese language education.

Chang Fu-mei, Ph.D.
Minister of Overseas Chinese Affairs Commission

兒童華語課本中英文版編輯要旨

一、本書為中華民國僑務委員會為配合北美地區華裔子弟
適應環境需要而編寫，教材全套共計課本十二冊、作
業簿十二冊及教師手冊十二冊。另每課製作六十分鐘
錄影帶總計四十八輯，提供教學應用。

二、本書編輯小組及審查委員會於中華民國七十七年十一
月正式組成，編輯小組於展開工作前擬定三項原則及
五項步驟，期能順利達成教學目標：

(一)三項原則——

(1)介紹中華文化與華人的思維方式，以期海外華裔
子弟能了解、欣賞並接納我國文化。

(2)教學目標在表達與溝通，以期華裔子弟能聽、
說、讀、寫，實際運用中文。

(3)教材內容大多取自海外華裔子弟當地日常生活，
使其對課文內容產生認同感，增加實際練習機
會。

(二)五項步驟——

(1)分析學習者實際需要，進而決定單元內容。

(2)依據兒童心理發展理論擬定課程大綱：由具體事物而逐漸進入抽象、假設和評估階段。

(3)決定字彙、詞彙和句型數量，合理地平均分配於每一單元。

(4)按照上述分析與組織著手寫作課文。

(5)增加照片、插圖、遊戲和活動，期能吸引學童注意力，在愉快的氣氛下有效率地學習。

三、本書第一至三冊俱採注音符號（ㄅ、ㄆ、ㄇ、ㄈ……）及羅馬拼音。第四冊起完全以注音符號與漢字對照為主。

四、本書適用對象包括以下三類學童：

(一)自第一冊開始——在北美洲土生土長、無任何華語基礎與能力者。

(二)自第二冊開始——因家庭影響，能聽說華語，卻不

識漢字者。

（三）自第五或第六冊開始──自國內移民至北美洲，稍具國內基本國語文教育素養；或曾於海外華文學校短期就讀，但識漢字不滿三百字者。

五、本書於初級華語階段，完全以注音符號第一式及第二式介紹日常對話及句型練習，進入第三冊後，乃以海外常用字作有計劃而漸進之逐字介紹，取消注音符號第二式，並反覆練習。全書十二冊共介紹漢字 1160 個，字彙、詞彙共 1536 個，句型 217 個，足供海外華裔子弟閱讀一般書信、報紙及書寫表達之用。並在第十一冊、十二冊增編華人四大節日及風俗習慣作閱讀的練習與參考。

六、本書教學方式採溝通式教學法，著重於日常生活中的表達與溝通和師生間之互動練習。因此第一至七冊完全以對話形態出現；第八冊開始有「自我介紹」、「日記」、「書信」和「故事」等單元，以學生個人

生活經驗為題材，極為實用。

七、本書每一主題深淺度也配合著兒童心理之發展，初級課程以具象實物為主，依語文程度和認知心理之發展逐漸添加抽象思考之概念，以提升學生自然掌握華語文實用能力。初級課程之生字與對話是以口語化的發音為原則，有些字需唸輕聲，語調才能自然。

八、本書編輯旨義，乃在訓練異鄉成長的中華兒女，多少能接受我中華文化之薰陶，毋忘根本，對祖國語言文化維繫著一份血濃於水的情感。

九、本書含教科書、作業簿及教師手冊之編輯小組成員為何景賢博士，宋靜如女士，及王孫元平女士，又經美國及加拿大地區僑校教師多人及夏威夷大學賀上賢教授參與提供意見，李芊小姐、文惠萍小姐校對，始克完成。初版如有疏漏之處，尚祈教師與學生家長不吝惠正。

注音符號第一、二式與通用、漢語拼音對照表

注音符號第一式		注音符號第二式	通用拼音	漢語拼音
（一）聲母				
唇音	ㄅㄆㄇㄈ	b p m f	b p m f	b p m f
舌尖音	ㄉㄊㄋㄌ	d t n l	d t n l	d t n l
舌根音	ㄍㄎㄏ	g k h	g k h	g k h
舌面音	ㄐㄑㄒ	j(i) ch(i) sh(i)	ji ci si	j(i) q(i) x(i)
翹舌音	ㄓㄔㄕㄖ	j(r) ch(r) sh r	jh ch sh r	zh ch sh r
舌齒音	ㄗㄘㄙ	tz ts(z) s(z)	z c s	z c s
（二）韻母				
單韻	一ㄨㄩ	(y) i , u,w iu,yu	(y) i , wu,u yu	i u ü
單韻	ㄚㄛㄜㄝ	a o e e	a o e ê	a o e ê
複韻	ㄞㄟㄠㄡ	ai ei au ou	ai ei ao ou	ai ei ao ou
隨聲韻	ㄢㄣㄤㄥ	an en ang eng	an en ang eng	an en ang eng
捲舌韻	ㄦ	er	er	er

目錄
Contents

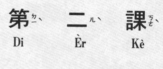

第 一 課

爸 爸 感 冒 了
Daddy Has Caught a Cold

I 課　文

（Text）

　　爸爸今天感冒了。他頭痛、喉嚨痛、打噴嚏、流鼻水，全身痠軟無力，非常不舒服。媽媽好擔心，但是她沒法子請假在家陪爸爸。媽媽今天有好多事情要辦。上午要開會，下午要寫報告。

　　爸爸好可憐！我和妹妹決定不去游泳了。我們要在家照顧生病的爸爸。早上十點一刻左右，爸爸的胃很難受。他掙扎了半天，終於吐了出來。我們倆小心地扶著爸爸回房。爸爸沒

吃早餐，他一定很餓了。於是我和妹妹決定弄點兒東西給爸爸吃。在廚房裡，妹妹和我一邊兒做飯，一邊兒看電視。哇！今天的「Family Ties」特別精彩！我們正笑得開心的時候，突然「嗚！嗚！」地聲音，「火警警報器」響起來了。爸爸嚇得從床上跳了下來，衝到廚房。噢！這下我們可闖禍了！滿屋子煙氣，電爐、流理台和地板上濕淋淋，髒兮兮地一大片。雖然妹妹已經把電爐關掉了，可是我們太矮，搆

不著天花板上的「火警警報器」。這個時候，爸爸搬了張椅子，站了上去，把電池拿了下來。「火警警報器」總算不響了。然而沒想到因為重心不穩，爸爸從椅子上下來的時候跌了一跤。我和妹妹七手八腳地要去扶爸爸，但爸爸卻把我們推開，並且說：「我的腿可能骨折了。快打電話叫救護車吧。」

　　唉！爸爸現在住進了醫院。媽媽在做晚飯，我和妹妹正忙著打掃廚房。真是忙碌的一天！

Ⅱ 生字生詞

(Vocabulary & Expressions)

1. 感冒 to catch a cold

2. 頭痛 to have a headache

3. 喉嚨痛 to have a sore throat

4. 打噴嚏 to sneeze

5. 流鼻水 to have a runny nose

6. 痠軟無力 weak and sore

7. 擔心 to worry

8. 請假 to take a leave of absence

9. 辦 to do, to work on

10. 報告 report

11. 照顧 to take care of, to look after

12. 胃 stomach

13. 難受 not easy to endure, to feel bad

14. 掙扎 to struggle

15. 吐 to throw up, to vomit

16. 小心地 carefully

17. 餓 hungry

18. 開心 cheerfully

Ⅱ 生字生詞

(Vocabulary & Expressions)

19. 火警警報器	smoke alarm
20. 嚇	to scare
21. 跳	jump
22. 衝	to rush to
23. 闖禍	to make trouble
24. 滿	the whole
25. 煙氣	smoke
26. 流理台	counter (in a kitchen)
27. 地板	floor
28. 濕淋淋	wet
29. 髒兮兮	dirty
30. 電爐	stove
31. 搆	to reach
32. 電池	battery
33. 沒想到	unexpectedly
34. 重心不穩	to lose one's balance
35. 七手八腳地	clumsily
36. 推開	to push away

37. 骨ㄍㄨˇ 折ㄓㄜˊ　　bone fracture

38. 救ㄐㄧㄡˋ 護ㄏㄨˋ 車ㄔㄜ　ambulance

39. 打ㄉㄚˇ 掃ㄙㄠˇ　　to clean

Ⅲ 句型練習

(Pattern Practice)

S V 了半天……………………。

1. 他掙扎<u>了半天</u>，終於吐了出來。

她想 <u>了半天</u>，終於寫了出來。

我畫 <u>了半天</u>，終於畫了出來。

S V得……………………。

2. 爸爸<u>嚇得</u>從床上跳了下來。

她 <u>氣得</u>從椅子上跳了下來。

妹妹<u>笑得</u>從沙發上滾了下來。

這下 N 可 S V 了！

3. 這下我們可闖禍了！

這下他們可高興了！

這下你們可難受了！

這下你們可開心了！

雖然……………可是……………。

4. 雖然爸爸不舒服，可是還要辦很多事情。

雖然他感冒了　，可是還要寫報告。

雖然他吃了早餐，可是還想吃點東西。

Ⅲ 句型練習

（Pattern Practice）

S　正忙著……。

5.　妹妹正忙著打掃。

媽媽正忙著做飯。

哥哥正忙著寫作業。

姐姐正忙著化妝。

Ⅳ 英 譯

(English Translation)

Daddy caught a cold today. He had a headache, a sore throat, and a runny nose. He was sneezing, and felt very weak and uncomfortable. Mom was very worried about him, but she couldn't take a take a day off to stay home and keep him company. Mom was very busy today. She was going to have a meeting this morning, and write a report this afternoon.

Poor Dad! My sister and I decided not to go

IV 英 譯

swimming. We wanted to take care of our sick father at home. About a quarter after ten this morning, Dad was feeling very nauseous. He struggled for a while until he finally threw up. My sister and I lifted him up and carefully walked him to his bedroom. Dad hadn't had breakfast yet. He must have been very hungry, so we decided to fix him something to eat. In the kitchen, my sister and I watched TV while we were cooking. Wow!

Today's "Family Ties" was most exciting. We were laughing hard, when suddenly the smoke alarm went off. Dad woke up with a start, jumped out of bed and rushed into the kitchen. Oh! Oh! We were in trouble now. It was really smoky in the kitchen. The stove top, counter, and floor were all wet and dirty. My sister turned off the stove, but we were both too short to reach the smoke alarm on the ceiling. Dad grabbed a chair, climbed up on it

IV 英 譯

(English Translation)

and took out the battery. The smoke alarm stopped blaring. Unexpectedly, however, Dad lost his balance and fell when he was trying to get down from the chair. My sister and I clumsily tried to help him up, but he pushed us away and said, "I might have fractured my leg. Call the ambulance right away."

Well, Dad is in the hospital now. Mom is cooking dinner. And my sister and I are busy cleaning the kichen.　What a busy day!

V 寫寫看

Let's learn how to write Chinese characters.
Please follow the stroke order and write each one ten times.

生字及注音	部首	筆　　　　　　　　　　　　　　　順
珍 ㄓㄣ	玉 ㄩ	一 二 三 干 王 玑 玠 珍 珍 珍
妮 ㄋㄧ	女 ㄋㄩ	し 女 女 妒 妒 妒 妮 妮
賀 ㄏㄜ	貝 ㄅㄟ	フ カ カ 加 加 加 賀 賀 賀 賀 賀
飽 ㄅㄠ	食 ㄕ	ノ ㇏ ㇏ 今 今 今 食 食 飦 飹 飹 飽
豐 ㄈㄥ	豆 ㄉㄡ	丨 𠃌 𠃌 ㅣ ㅣ ㅣ 丰 丯 丯 丯 曲 曲 曹 豐 豐　豐 豐 豐
富 ㄈㄨ	宀 ㄇㄢ	丶 丶 宀 宀 宁 宁 宁 富 宵 宵 富 富
彩 ㄘㄞ	彡 ㄕ	丿 ㇏ ㇏ ㄕ 平 乎 采 采 彩 彩 彩
聖 ㄕㄥ	耳 ㄦ	一 ㇅ ㇅ ㇅ 耳 耳 耵 聊 聊 聖 聖 聖
誕 ㄉㄢ	言 ㄧㄢ	丶 二 亖 言 言 言 言 訂 訂 訶 誕 誕 誕 誕 誕
節 ㄐㄧㄝ	竹 ㄓㄨ	丿 ㇒ ㇒ ㇒ 竻 竻 竻 竺 竺 笁 筲 節 節 節
松 ㄙㄨㄥ	木 ㄇㄨ	一 十 才 木 术 杦 松 松
準 ㄓㄨㄣ	水 ㄕㄨㄟ	丶 冫 冫 汁 汁 汓 泸 淮 淮 準 準 準
備 ㄅㄟ	人 ㄖㄣ	丿 亻 亻 伫 伫 俏 俏 伊 俏 備 備 備
掃 ㄙㄠ	手 ㄕㄡ	一 十 扌 扫 扫 扫 扫 扫 掃 掃 掃
頓 ㄉㄨㄣ	頁 ㄧㄝ	一 𠃌 𠃌 屯 屯 屯 屯 頓 頓 頓 頓 頓 頓
佈 ㄅㄨ	人 ㄖㄣ	丿 亻 亻 佇 佈 佈 佈

16

生字及注音	部首	筆　　　　　　　　　　　　　　順
置 ㄓˋ	网 ㄨㄤˇ	丶 冂 罒 罒 罒 罒 罗 置 置 胃 胃 置
吉 ㄐㄧˊ	口 ㄎㄡˇ	一 十 士 吉 吉 吉
利 ㄌㄧˋ	刀 ㄉㄠ	丿 二 千 禾 禾 利 利
鞭 ㄅㄧㄢ	革 ㄍㄜˊ	一 十 廿 廿 廿 芇 苫 莒 革 革 莉 靪 靪 鞆 鞆 鞭 鞭 鞭
農 ㄋㄨㄥˊ	辰 ㄔㄣˊ	丶 冂 曰 曲 曲 曲 芦 芦 芦 農 農 農
曆 ㄌㄧˋ	日 ㄖ	一 厂 厂 厂 厓 厓 厓 厤 厤 厤 厤 厤 曆 曆 曆
夕 ㄒㄧˋ	夕 ㄒㄧˋ	丿 ク 夕
鑽 ㄗㄨㄢ	金 ㄐㄧㄣ	丿 人 人 仝 牟 余 余 金 金 釒 鉲 鉲 鉲 鉲 鉲 鉲 鉲 鉲 鉲 銤 鐕 鐕 鐕 鐕 鑽 鑽
被 ㄅㄟˋ	衣 ㄧ	丶 ㇇ 亠 礻 礻 礻 衤 衤 衵 被 被
窩 ㄨㄛ	穴 ㄒㄩㄝˊ	丶 丷 宀 宀 宊 宧 宧 宧 窵 窩 窩 窩 窩
醒 ㄒㄧㄥˇ	酉 ㄧㄡˇ	一 厂 厂 币 丙 西 西 酉 酌 酌 酲 酲 酲 酲 醒 醒
飄 ㄆㄧㄠ	風 ㄈㄥ	一 厂 币 币 西 西 更 栗 栗 栗 栗 票 飄 飄 飄 飄 飄 飄 飄 飄

17

V 寫寫看

Let's learn how to write Chinese characters.
Please follow the stroke order and write each one ten times.

生字及注音	部首	筆　　　　　　　　　　　　　　　順
掛ㄍㄨㄚ丶	手ㄕㄡˇ	一 十 扌 扌 扩 扩 拝 拝 挂 掛 掛
圍ㄨㄟˊ	囗ㄨㄟˊ	丨 冂 門 門 門 門 周 周 周 圍 圍 圍
烘ㄏㄨㄥ	火ㄏㄨㄛˇ	丶 ㇀ 少 火 灯 灶 烘 烘 烘 烘
爐ㄌㄨˊ	火ㄏㄨㄛˇ	丶 ㇀ 少 火 火' 灯 炉 炉 炉 炉 烷 爐 爐 爐 爐 爐 爐 爐 爐 爐
紙ㄓˇ	糸ㄇㄧˋ	㇑ 幺 幺 幺 系 系 糸 紅 紙 紙
襪ㄨㄚˋ	衣ㄧ	丶 ㇇ 衤 衤 衤 衤 衤 衤 衤 衤 襪 襪 襪 襪 襪 襪 襪 襪 襪
恭ㄍㄨㄥ	心ㄒㄧㄣ	一 十 艹 艹 芋 共 荅 恭 恭 恭
禧ㄒㄧˇ	示ㄕˋ	丶 ㇇ 衤 衤 衤 衤 禧 禧 禧 禧 禧 禧 禧 禧 禧 禧
財ㄘㄞˊ	貝ㄅㄟˋ	㇑ 冂 冂 目 目 貝 貝 貝 財 財
封ㄈㄥ	寸ㄘㄨㄣˋ	一 十 土 圭 圭 圭 封 封 封
壓ㄧㄚ	土ㄊㄨˇ	一 厂 厂 厂 厂 厃 厈 厓 厓 厭 厭 壓 壓 壓 壓
炮ㄆㄠˋ	火ㄏㄨㄛˇ	丶 ㇀ 少 火 火 灼 灼 炮 炮

Ⅵ 讀讀看

Let's learn how to read Chinese characters.

珍	珍珠
妮	珍妮小姐
賀	賀年（New Year congratulations）
	賀年卡（New Year's greeting card）
飽	吃飽了
豐	豐富（to be abundant; rich）
富	吃得豐富。台灣的米很豐富
彩	彩色電視機。彩色燈
聖	聖經（The Holy Bible），聖人（a Saint）
誕	聖誕節。聖誕老人（Santa Claus）
節	過節。節禮（a gift for a festival）
松	松樹（pine tree）
準	準備
備	預備
掃	打掃。大掃除
頓	一頓飯（measure word for meal）
佈	佈置

Let's learn how to read Chinese characters.

置	佈置好了
吉	吉利（to be auspicious, lucky）
利	說吉利話
鞭	鞭炮（firecrackers）
農	農人（farmer）
曆	農曆（lunar calendar）。陽曆（the solar calendar, western calendar）
夕	除夕（New Year's Eve）。前夕
鑽	鑽進去
被	被窩
窩	鑽被窩
醒	吵醒。睡醒了。醒著
飄	白雪飄飄
掛	掛在牆上
圍	圍著桌子坐下
烘	暖烘烘。烘火
爐	壁爐
紙	紅紙。信紙（stationery）

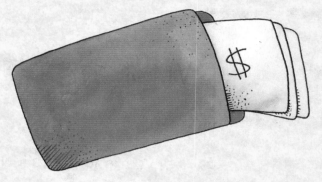

襪	襪子（sock）M：雙（ㄕㄨㄤ ）隻（ㄓ ）
恭	恭禧（Congratulations!）
禧	恭禧！恭禧！
財	發財（to get rich）。恭禧發財
封	信封（envelope）。紅封套（red envelope）
壓	壓歲錢（money given out to children on Lunar New Year's Eve for good luck）
炮	放鞭炮（to set off firecrackers）

VII 你會讀下面的句子嗎？

Can you read the following sentences ?

1. 珍妮接到了一張聖誕卡片，她才覺得時間過得真快，今年的聖誕節又快到了。

2. 她得準備過節了，先去買一棵松樹，再動手佈置，但是佈置以前，全家忙著大掃除，把家裡打掃得很乾淨才行。

3. 還有那些彩色燈，小玩具娃娃，聖誕老人裝禮物的襪子什麼的都掛在壁爐上，牆上，母親買的聖誕花把屋子弄得好漂亮啊！

4. 聖誕節前夕的大餐，真是豐富的一頓飯，大家吃飽了以後，就去教堂作禮拜了。

5. 從教堂回來以後，孩子們都鑽進被窩裡睡覺了。

6. 第二天一大早，全家都圍著暖烘烘的壁爐拆禮物。

7. 大家都非常高興，這時候窗外正飄著白雪，地上、屋頂上、樹上，到處都是白色的，真美！

8. 在美國過聖誕節最熱鬧，可是華人是什麼日子最熱鬧呢？你也想知道嗎？

9. 聖誕節是每年的十二月二十五日，但是華人春節在春天。

VIII 華人的風俗(Chinese customs)

過年(Celebrate the New Year)

1. 中國的農曆新年，又叫「春節」，因為那正是春天開始（to begin, to start）的時候。

2. 從農曆十二月起，家家就忙過年的事了，全家人都忙著打掃房屋，準備新年要吃的菜，因為親戚朋友要來，所以得準備很多「年菜」。（過年要吃的菜）

3. 父親用毛筆(Chinese writing brush)在紅色的紙上，寫一些吉利的字，或是句子，像：「春」、「福」、「恭賀新禧」、「恭禧發財」等這些字。

4. 大家都把這些寫在紅紙上的字，或是句子掛在門上、牆上和窗上，因為紅色是

高興的顏色。

5. 農曆十二月的最後一天是一年的除夕，晚上全家人都要回來，一起吃一頓很豐富的晚餐，叫「年夜飯」。（New Year's Eve Dinner）

6. 吃完了「年夜飯」，大家都不睡覺，一邊兒吃東西，一邊兒談話，都「守歲」（to keep watch on New Year's Eve）你可以聽見外面鞭炮的聲音，好熱鬧啊！

7. 到了一月一號的一大早，孩子們給父母，叔叔，伯伯「拜年」，他們一定會給「壓歲錢」，那是用紅色的信封裝著錢給孩子的。

過年(Celebrate the New Year)

8.大人都出門給親友拜年，大家見面都說「恭禧」「恭禧」或是「恭禧發財」這些吉利的話，過年真有意思啊！

Ⅸ 你讀了前面「過年」的故事，你都懂了嗎？請你用中文回答下面的問題。

1. 中國農曆的新年又叫什麼節？
   答：

2. 農曆從十二月起，家家都忙些什麼事？
   答：

3. 父親用毛筆在什麼紙上寫字？寫什麼字？
   答：

4. 他們把這些紅紙寫的字掛在那裡？
   答：

5. 除夕是幾月幾號？全家人一起吃什麼飯？
   答：

你讀了前面「過年」的故事，你都懂了嗎？請你用中文回答下面的問題。

6.「守歲」是什麼意思？他們怎麼守歲？
答：

7.華人什麼時候「拜年」？
答：

8.什麼是壓歲錢？壓歲錢裝在那裡？
答：

9.大人出門拜年的時候說什麼？
答：

10.「恭禧發財」是什麼意思？請你用華語說一說。
答：

第 二 課

愚 公 移 山
Yu Gung Moves the Mountain

I 課　文

(Text)

　　很久很久以前，在中國河北省和河南省交界的地方，住著一位九十歲的老公公。大家都叫他：「愚公」。愚公家門前有兩座大山。村子裡的人要進城都得爬山，交通非常不方便。於是他下決心一定要把這兩座山移開。

　　有一天吃晚飯的時候，愚公說出了這個主意。他的太太和兒孫們都同意了。從此以後，他每天早晨就帶領著兒孫剷土，運石，認真地工作。

　　鄰居當中有一個老先生，名叫智叟。看見愚公全家人傻兮兮地流著汗工作，他忍不住跑去嘲笑愚公說：「你真是個大傻瓜！年紀這麼大了，還移山做什麼？也許你還沒移完這兩座山，就兩眼一閉，兩腿一伸了。」愚公說：「我死了沒關係，還有我的兒子啊！兒子移不完，還有孫子啊！我們一代接一代地移下去。然而這兩座山，是不會長高的。只要我們的意志堅定，總有一天會被我們移開的。」智叟聽了

I 課　文

（Text）

笑一笑，一句話也沒說就走開了。

Ⅱ 生字生詞

（ Vocabulary & Expressions ）

1. 愚公　　a person's name

2. 移　　to move

3. 很久　　a long time

4. 河北省　a province in mainland China

5. 河南省　a province in mainland China

6. 交界　　border

7. 喊　　to call

8. 村子　　village

9. 交通　　communication, transportation

10. 決心　　determination

11. 移開　　to move (away)

12. 從此以後　from then on

13. 帶領　　to lead

14. 剷　　to shovel

15. 土　　soil

16. 當中　　among

17. 先生　　Mr., gentleman

18. 智叟　　a person's name

II 生字生詞

(Vocabulary & Expressions)

19. 傻ㄕㄚˇ兮ㄒㄧ兮ㄒㄧ地ㄉㄜ   foolishly

20. 流ㄌㄧㄡˊ汗ㄏㄢˋ   to sweat, to perspire

21. 忍ㄖㄣˇ不ㄅㄨˋ住ㄓㄨˋ   can't help (doing something)

22. 嘲ㄔㄠˊ笑ㄒㄧㄠˋ   to laugh at

23. 大ㄉㄚˋ笨ㄅㄣˋ瓜ㄍㄨㄚ   big stupid melon

24. 兩ㄌㄧㄤˇ眼ㄧㄢˇ一ㄧ閉ㄅㄧˋ，兩ㄌㄧㄤˇ腿ㄊㄨㄟˇ一ㄧ伸ㄕㄣ   (literally: to close one's eyes and to stretch one's legs), to die (derogatory use)

25. 代ㄉㄞˋ   generation

26. 接ㄐㄧㄝ   after、by

27. 意ㄧˋ志ㄓˋ   will

28. 堅ㄐㄧㄢ定ㄉㄧㄥˋ   strong

29. 總ㄗㄨㄥˇ有ㄧㄡˇ一ㄧ天ㄊㄧㄢ   eventually

34

Ⅲ 句型練習

(Pattern Practice)

 N 當中有一個 N ，名叫……。

1. 鄰居當中有一個老先生，名叫智叟。

 同學當中有一個法國人，名叫皮耶。

 親戚當中有一個小弟弟，名叫小華。

…………V著O， 忍不住…………。

2. 看見愚公流著汗，他忍不住嘲笑愚公。

 看見媽媽流著汗，我忍不住跑去幫忙。

從此以後，………就………。

3. 從此以後，我每天就去幫忙。

Ⅲ 句型練習

（Pattern Practice）

從此以後，我就不去了。

從此以後，我就常來學中文。

也許…還………，　　就……了。

4.　也許你還沒回來，他就睡著了。

也許他還沒說完，我就懂了。

也許我還沒教完，你就會寫了。

只要…　　Vph　　，　　　總有一天會……。

5.　只要我們意志堅定，這兩座山總有一天會被我們

移開的。

只要我們意志堅定，這些　文總有一天會被我們

學會的。

只要我們意志堅定，我們的中文總有一天會學好

的。

Ⅳ英 譯

(English Translation)

Long long ago, at the border of Hebei Province and Henan Province in mainland China, there lived a ninety-year-old man. Everybody called him "Yú Gūng". There were two mountains in front of Yú Gūng's house. The people of his village had to go over the mountains to get into town. The transportation was very inconvenient. Therefore, Yú Gūng decided to move these two mountains away.

One day when he and his family were having dinner, Yú Gūng spoke about this idea. His wife, children, and grandchildren all agreed. From then on, he led his children and grandchildren out every morning to work hard, shoveling soil and carrying stones.

Among the neighbors there was an old man whose name was Jr̀ Shǒu. Seeing Yú Gūng's family sweating so foolishly, he could't help laughing at

IV 英 譯

(English Translation)

Yú Gūng, saying, "You are really a big stupid melon! You are so old! Why do you try to move the mountains? You'll probably die before you finish moving them away."

Yú Gūng said, "I'll die—all right, but I have my sons! My sons won't finish—all right, but there are still grandsons! We'll keep working generation after generation. And these two mountains will not grow. The more soil we move away, the less soil

40

they have.   As long as we have strong wills, we
will eventually move these two mountains away."

After hearing this, Jr̀ Shǒu smiled and walked away.

V 寫寫看

Let's learn how to write Chinese characters.
Please follow the stroke order and write each one ten times.

生字及注音	部首	筆　　　　　　　　　　　順
念 ㄋㄧㄢˋ	心 ㄒㄧㄣ	ノ 人 今 今 念 念 念 念
段 ㄉㄨㄢˋ	殳 ㄕㄨ	´ ㄑ ㄑ ㄑ ㄑ ㄑ 段 段 段
令 ㄌㄧㄥˋ	人 ㄖㄣˊ	ノ 人 今 今 令
滾 ㄍㄨㄣˇ	水 ㄕㄨㄟˇ	ㄧ ㄧ ㄧ ㄧ ㄧ ㄧ ㄧ ㄧ ㄧ ㄧ ㄧ 滾 滾
沖 ㄔㄨㄥ	水 ㄕㄨㄟˇ	ㄧ ㄧ ㄧ ㄧ 沖 沖 沖
散 ㄙㄢˋ	攴 ㄆㄨ	一 十 卄 卄 芇 芇 芇 背 背 散 散
瀑 ㄆㄨˋ	水 ㄕㄨㄟˇ	ㄧ ㄧ ㄧ ㄧ ㄧ ㄧ ㄧ ㄧ ㄧ ㄧ 瀑 瀑 瀑 瀑 瀑
附 ㄈㄨˋ	阜 ㄈㄨˋ	ㄧ ㄈ ㄈ ㄈ ㄈ ㄈ 附 附
危 ㄨㄟˊ	卩 ㄐㄧㄝˊ	´ ㄑ ㄑ 产 产 危
險 ㄒㄧㄢˇ	阜 ㄈㄨˋ	ㄧ ㄈ ㄈ ㄈ ㄈ 阶 阶 険 険 険 険 険 険 険 険 険
雖 ㄙㄨㄟ	隹 ㄓㄨㄟ	ㄧ ㄧ 口 口 吕 吕 吊 虽 虽 蛔 蛔 蛔 蚫 雖 雖
救 ㄐㄧㄡˋ	攴 ㄆㄨ	一 十 十 才 才 求 求 求 救 救 救
急 ㄐㄧˊ	心 ㄒㄧㄣ	ノ ㄅ ㄅ 므 므 므 急 急 急
喊 ㄏㄢˇ	口 ㄎㄡˇ	ㄧ ㄧ 口 口 口 叮 叮 听 听 听 喊 喊 喊

42

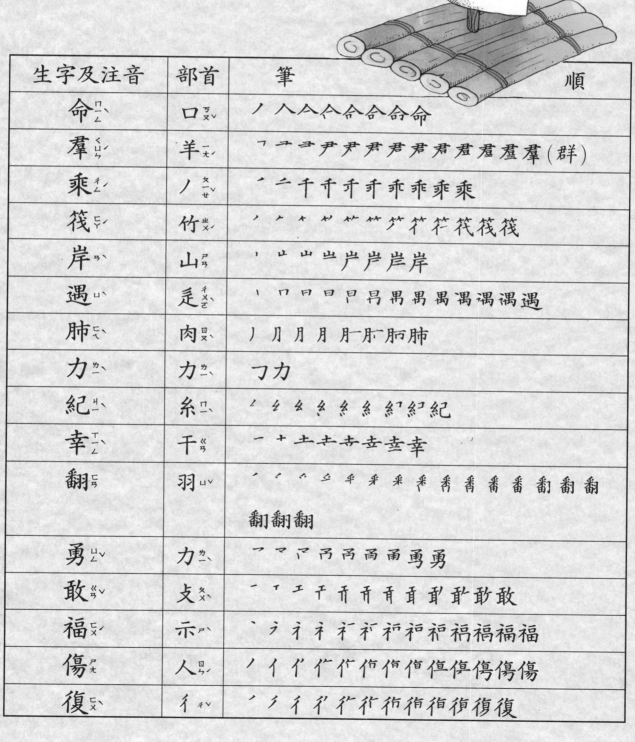

生字及注音	部首	筆順
命 ㄇㄧㄥˋ	口 ㄎㄡˇ	丿 人 亼 亽 合 合 命 命
羣 ㄑㄩㄣˊ	羊 ㄧㄤˊ	㇇ ⺕ 彐 尹 尹 君 君 君 君 君 君 羣 羣(群)
乘 ㄔㄥˊ	丿 ㄆㄧㄝˇ	一 二 千 千 千 乖 乖 乖 乘 乘
筏 ㄈㄚˊ	竹 ㄓㄨˊ	丿 ㇒ 𠂉 ⺮ ⺮ ⺮ 笩 笩 筏 筏 筏 筏
岸 ㄢˋ	山 ㄕㄢ	丨 山 山 山 屵 屵 岸 岸
遇 ㄩˋ	辵 ㄔㄨㄛˋ	丨 ㄇ 冂 日 日 禺 禺 禺 禺 遇 遇 遇 遇
肺 ㄈㄟˋ	肉 ㄖㄡˋ	丿 月 月 月 肀 肺 肺 肺
力 ㄌㄧˋ	力 ㄌㄧˋ	㇆ 力
紀 ㄐㄧˋ	糸 ㄇㄧˋ	ㄥ 幺 幺 糸 糸 糸 紀 紀 紀
幸 ㄒㄧㄥˋ	干 ㄍㄢ	一 十 土 去 幸 幸 幸 幸
翻 ㄈㄢ	羽 ㄩˇ	丿 ㇒ ㇒ 乎 釆 釆 釆 釆 番 番 番 番 翻 翻 翻 翻 翻 翻
勇 ㄩㄥˇ	力 ㄌㄧˋ	㇇ ㇇ 㐅 甬 甬 甬 甬 勇 勇
敢 ㄍㄢˇ	攴 ㄆㄨ	一 工 工 干 干 干 干 耳 耳 敢 敢 敢
福 ㄈㄨˊ	示 ㄕˋ	丶 ㇇ 礻 礻 礻 礻 祁 祁 祁 福 福 福 福
傷 ㄕㄤ	人 ㄖㄣˊ	丿 亻 亻 亻 亻 伤 伤 伤 傷 傷 傷 傷 傷
復 ㄈㄨˋ	彳 ㄔˋ	丿 彡 彳 彳 彳 彳 復 復 復 復 復 復

V 寫寫看

Let's learn how to write Chinese characters.
Please follow the stroke order and write each one ten times.

生字及注音	部首	筆　　　　　　　　　　　　　　　　順
原 ㄩㄢˊ	厂 ㄏㄢˇ	一 厂 厂 尸 厃 盾 盾 原 原 原
頑 ㄨㄢˊ	頁 ㄧㄝˋ	一 二 テ 元 元 元 꿔 頑 頑 頑 頑 頑
全 ㄑㄩㄢˊ	入 ㄖㄨˋ	ノ 入 仐 今 仝 全 全
祖 ㄗㄨˇ	示 ㄕˋ	丶 ﾗ ﾈ ﾈ 礻 礻 祀 祖 祖
墳 ㄈㄣˊ	土 ㄊㄨˇ	一 十 土 圹 圹 圹 坮 坮 坿 墳 墳 墳 墳 墳
墓 ㄇㄨˋ	土 ㄊㄨˇ	丶 艹 艹 艹 莒 莒 苫 苎 草 莫 莫 莫 墓
掉 ㄉㄧㄠˋ	手 ㄕㄡˇ	一 十 扌 扌 扩 扩 扫 拍 拍 捛 掉
義 ㄧˋ	羊 ㄧㄤˊ	丶 丷 丷 쓴 쓰 羊 羊 差 義 義 義
答 ㄉㄚˊ	竹 ㄓㄨˊ	ノ 亻 亻 灬 竹 竹 竹 竺 笁 筊 答 答
應 ㄧㄥ	心 ㄒㄧㄣ	丶 亠 广 广 广 广 庐 庐 庐 應 雁 雁 雁 雁 雁 應 應

Ⅵ 讀讀看

Let's learn how to read Chinese characters.

念	想念。念書（to study）
段	一段日子。一段路
令	他令我生氣。令人難忘
滾	滾滾的河水。小狗在地上打滾兒。
沖	沖散。沖走
散	散了。被水沖散了。
瀑	瀑布
附	附近
危	危險
險	颱風來了危險嗎！
雖	雖然
救	救他。救人
急	著（ㄓㄠ）急（worried）。很急（in a hurry）
喊	喊救命。大聲喊
命	救命
羣	一群（羣）人。一羣牛

Ⅵ 讀 讀 看

Let's learn how to read Chinese characters.

乘	乘 校 車 。 乘 船
筏	木 筏 。 乘 木 筏
岸	河 岸 。 岸 邊
遇	遇 見
肺	肺 （ the lung ）。肺 病 （ T.B. ）
力	費 大 力 氣
紀	紀 念 （ to commemorate ）
幸	幸 好 （ fortunately ）
翻	船 翻 了
勇	勇 敢
敢	勇 敢 的 人 。 我 不 敢 去 （ I dare not go. ）
福	福 氣 （ good luck ）
傷	腿 傷 了
復	復 原 （ to recover; to restore ）
原	身 體 復 原 了
頑	頑 皮 （ naughty ）
全	完 全 好 了

祖	祖 先 （ ancestors; forefathers ）
墳	墳 墓 （ a grave ）
墓	墓 地 （ graveyard ）
掉	除 掉 （ to remove; to weed out ）
義	意 義 （ meaning ）
答	回 答 （ answer ）
應	答 應

Can you read the following sentences？

1. 學校放假了，我好想念在台灣的爺爺奶奶，去年我們回國去看他們，那一次發生的事，真是令人難忘！到現在我還記得那段日子！

2. 我還記得那是在一次颱風以後，滾滾地河水，因為水很大，所以沖走了很多種在地裡的蔬菜，西瓜，也沖散了住在山邊上的人家。

3. 那一天，我和哥哥坐著小船去釣魚，沒想到船翻了，我們被沖到一個瀑布附近，好危險啊！

4. 雖然我們都穿著救生衣，但是，因為水流得太急，我們沒法子游泳。

5. 我們大聲喊「救命」。後來有一羣乘筏過河的人看見了，他們費了很大的力氣，才把我們救上岸。

6. 幸好遇見了這些又有愛心，又勇敢的年輕人，我們的運氣（luck）真不錯。他們救了我們，真謝謝他們。

7. 可是哥哥的腿受了傷，肺裏也有水，差不多一個月才復原，一直到現在他還沒有完全好，因為他運動的時候腿會痛。

8. 我們回美國的時候，答應我爺爺每兩年回去看望他們一次，所以明年我們打算再回台灣去。

Can you read the following sentences ?

9.我 最 喜 歡 吃 奶 奶 做 的 中 國 菜 ， 我 更 愛 我
　的 爺 爺 。

10.因 為 他 們 只 有 我 這 一 個 ㄙㄨㄣ 女 ， 雖 然
　我 很 頑 皮 ， 可 是 他 們 都 愛 我 ， 我 真 有 福
　氣 ！

VIII　華人的風俗(Chinese customs)

清明節(A festival for visiting family graveyards)
(Tomb Sweeping Day)

1. 中國農曆的三月，差不多是陽曆的四月初（ㄔㄨ：beginning）。正是春天剛開始不久，地上的草，樹上的葉子都長出來了。

2. 陽曆（the solar calendar）的四月五日，訂做「清明節」（ㄑㄧㄥ　ㄇㄧㄥˊ　ㄐㄧㄝˊ）。

3. "清明"是　華人　紀念（to commemorate）祖先（ancestors）的日子。大家都在這個日子，到城外去打掃祖先的墓地（ㄇㄨˋ　ㄉㄧˋ：graveyard）。

4. 每家人都帶著野餐，帶著工具去墓地，把草除掉，掃乾淨以後，大家都把帶來的花、水果、跟做好了的中國菜，放在

墓前，拜完了祖先再吃。

5. 春天了，天氣漸漸暖和了，大家都應該到外面去走走，活動一下，同時也可以教自己的孩子不要忘記自己的祖先。

6. 每年這個時候，在外國或是在外地做事的人，也會回到自己的老家（old home）來，看一看他們的親戚跟祖先的墳墓（grave）。

7. 祖父、祖母、或是父親母親，也常常把祖先的故事（story）講給大家聽，等他們長大了，做父母的時候，也要把這些故事講給他們的孩子聽，所以清明節是一個很有意義的節日。

IX 你讀完了「清明節」的習俗，請用中文回答下面的問題：

1. 華人的「清明節」是陽曆的幾月幾號？

   答：

2. 「清明節」是華人的一個什麼節日？

   答：

3. 清明那天每家都要到那裡去？做些什麼事？

   答：

4. 華人在清明節那一天都帶些什麼去拜祖先？

   答：

5. 每年清明節，那些人會回到自己的老家來，來做什麼？

   答：

6.為什麼清明節對華人是一個很有意義的節日？

答：

第 三 課

畫 蛇 添 足

Drawing a Snake With Feet

I 課　文

(Text)

中國的戰國時代，有一座大廟裏有幾個人在看守。一天，廟裏的住持拿了一壺酒給他們喝。然而，因為酒不太多，分了喝恐怕每個人都不過癮，於是其中一人就建議比賽畫蛇。最先畫好的，可以一個人喝整壺酒。大家都很贊成這個好主意。

有人喊了一聲「開始」！他們就專心地畫了起來。畫呀畫呀，每個人畫得都不一樣。有的蛇頭很尖，有的蛇眼睛很大，還有的紋路很

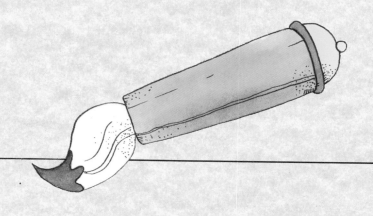

複雜。

　　不久，有位留鬍子的先生畫好了。他興奮地拿起了酒壺正準備獨自享用時，看到其他同伴都沒畫完。於是他就寬了心，一手拿著酒壺，一手拿著毛筆，一邊兒畫，一邊兒說：「哈！你們畫得好慢！我現在還可以替蛇畫幾隻腳呢。」

　　可是他正在畫蛇腳的時候，另一位皮膚很黑的先生已經畫好了。他把酒壺搶了過來，一

I 課　文

（Text）

口氣喝完了。留鬍子的先生氣得直跳腳：「我最先畫完。你怎麼可以搶我的酒呢？」黑皮膚的先生笑嘻嘻地說：「誰叫你多此一舉，替蛇畫了八隻腳。有誰看過長了腳的蛇呢？」

II 生字生詞

(Vocabulary & Expressions)

1. 蛇ㄕㄜˊ   snake

2. 添ㄊㄧㄢ   to add

3. 足ㄗㄨˊ   foot

4. 戰ㄓㄢˋ國ㄍㄨㄛˊ時ㄕˊ 代ㄉㄞˋ   Warring States Period (403-222 B.C.)

5. 廟ㄇㄧㄠˋ   temple

6. 看ㄎㄢ守ㄕㄡˇ   to watch

7. 住ㄓㄨˋ持ㄔ   keeper of a temple

8. 壺ㄏㄨˊ   bottle

9. 酒ㄐㄧㄡˇ   wine, alcoholic drink

10. 贊ㄗㄢˋ成ㄔㄥˊ   to agree

11. 分ㄈㄣ   to share, to split

12. 恐ㄎㄨㄥˇ怕ㄆㄚˋ   to be afraid of

13. 過ㄍㄨㄛˋ癮ㄧㄣˇ   to be satisfied

14. 其ㄑㄧˊ中ㄓㄨㄥ   among

15. 建ㄐㄧㄢˋ議ㄧˋ   to suggest, to advise

16. 比ㄅㄧˇ賽ㄙㄞˋ   to compete

17. 整ㄓㄥˇ   the whole

18. 專ㄓㄨㄢ心ㄒㄧㄣ地ㄉㄜ˙   attentively, whole-heartedly

59

II 生字生詞

(Vocabulary & Expressions)

19. 紋路　　　pattern

20. 複雜　　　complicated

21. 興奮地　　excitedly

22. 獨自　　　alone

23. 享用　　　to enjoy

24. 同伴　　　companion

25. 寬心　　　relieved

26. 毛筆　　　writing brush

27. 皮膚　　　skin

28. 搶　　　　to grab, to rob, to take away something by force

29. 一口氣喝完　to guzzle

30. 氣　　　　mad, angry

31. 跳腳　　　to stamp one's foot

32. 多此一舉　to do unnecessary and/or extra jobs

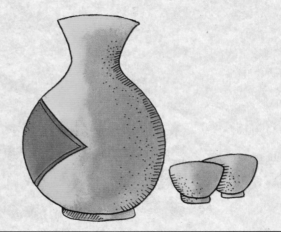

Ⅲ 句型練習

(Pattern Practice)

當…正在………的時候，…………………………。

1.　當我正在畫蛇腳的時候，另一位先生已經畫好了。

　　當我正在睡覺　的時候，媽媽已回來了。

　　當你正在讀書　的時候，他已經睡著了。

　　有誰 Ｖ 過………………呢？

2.　有誰看過長了腳　的蛇呢？

　　有誰看過長了鼻子的蛇呢？

　　有誰聽過會說話的馬　呢？

Ⅲ 句型練習

(Pattern Practice)

N 把 N Vph 了。

3. 他 把酒 一口氣喝完了。

他 把那個故事一口氣說完了。

我們把這本書 一口氣看完了。

……喊了一聲，……就…………。

4. 有人喊了一聲，他們就畫了起來。

有人叫了一聲，他們就唱了起來。

有人說了一聲，他們就吃了起來。

………一手拿著……，一手拿著…………。

5.　孩子　一手拿著糖　，一手拿著冰淇淋。

　　老師　一手拿著筆　，一手拿著書。

　　老先生一手拿著酒杯，一手拿著酒壺。

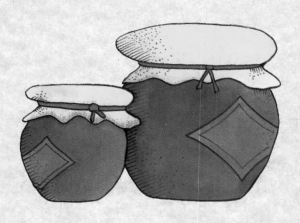

IV 英 譯

(English Translation)

In the Warring States Period in China, there was a big temple which was watched over by some caretakers. One day, the keeper of the temple brought the caretakers a bottle of wine. But since there was not much wine, if they were to share it, none of them would be satisfied. So one of them suggested having a snake-drawing contest. The first one to finish drawing could drink the whole bottle. Everybody agreed on this good idea.

When someone shouted "start," they all began to draw whole-heartedly. Everybody's drawing was different. Some snakes had pointed heads, some had large eyes, and others were marked with complicated patterns.

Before long, a bearded man finished. He excitedly grabbed the wine. He was about to drink it by himself when he saw that his companions were all still drawing. He felt relieved, and, holding the bottle in one hand a writing brush in the other, he started drawing again, saying, "Ha! You all draw so slowly! I can draw some feet for my snake now!"

However, as he was drawing the snake feet, a dark-skinned man finished drawing. This man grabbed the wine and immediately drank it. The bearded man was furious. He stamped his foot with anger and said, "I finished first! How could

you take my wine?" The dark-skinned man

laughed, "Who asked you to draw eight feet for

your snake? Have you ever seen a snake with

feet?"

V 寫寫看

Let's learn how to write Chinese characters.

Please follow the stroke order and write each one ten times.

生字及注音	部首	筆　　　　　　　　　　　　　順
劃 ㄏㄨㄚˋ	刀 ㄉㄠ	ㄱ ㄱ ㄱ ㄱ 聿 畫 畫 畫 畫 畫 畫 畫 畫 劃
敬 ㄐㄧㄥˋ	攴 ㄆㄨ	丶 ㄱ ㄐ ㄗ ㄗ ㄗ ㄗ ㄗ ㄗ ㄗ ㄗ 敬
始 ㄕˇ	女 ㄋㄩ	く 女 女 妒 妒 始 始 始
探 ㄊㄢˋ	手 ㄕㄡˇ	一 十 扌 扌 扩 扩 押 押 押 探 探
齣 ㄔㄨ	齒 ㄔˇ	丶 ㄱ 止 止 止 步 步 齿 齿 齿 齿 齿 齿 齒 齒 齒 齣 齣 齣 齣 齣
劇 ㄐㄩˋ	刀 ㄉㄠ	丶 丶 广 广 广 卢 卢 虎 虎 虏 虏 慮 廖 廖 劇
於 ㄩˊ	方 ㄈㄤ	丶 一 亍 方 扩 於 於 於
照 ㄓㄠˋ	火 ㄏㄨㄛˇ	丨 冂 日 日 𣅲 𣇄 昭 昭 昭 照 照 照 照
編 ㄅㄧㄢ	糸 ㄇㄧˋ	𢇍 𢇍 𢆶 幺 幺 糸 糸 紗 紗 紑 絹 絹 絹 編 編
寄 ㄐㄧˋ	宀 ㄇㄧㄢˊ	丶 宀 宀 宀 㝵 㝵 㝵 㝵 寄 寄 寄
績 ㄐㄧ	糸 ㄇㄧˋ	𢇍 𢇍 𢆶 幺 幺 糸 糸 紅 紅 結 結 績 績 績 績 績 績
如 ㄖㄨˊ	女 ㄋㄩ	く 女 女 如 如 如
初 ㄔㄨ	刀 ㄉㄠ	丶 ㄱ ㄱ ㄱ ㄱ 初 初
課 ㄎㄜˋ	言 ㄧㄢˊ	丶 一 亠 言 言 言 言 言 訳 訳 訳 訳 課 課 課
北 ㄅㄟˇ	匕 ㄅㄧˇ	丨 ㄐ 扌 北 北

68

生字及注音	部首	筆　　　　　　　　　　　　　　　順
故 ㄍㄨˋ	攴 ㄆㄨ	一 十 ナ 古 古 古 故 故 故
退 ㄊㄨㄟˋ	辵 ㄔㄨㄛˋ	㇕ ㄱ ㄢ 艮 艮 艮 退 退 退（退）
殺 ㄕㄚ	殳 ㄕㄨ	ノ ㄨ 千 千 矛 杀 杀 杀 殺 殺
養 ㄧㄤˇ	食 ㄕˊ	丶 丷 ⺍ ⺌ 芏 羊 差 美 美 莠 莠 莠 養 養 養
孫 ㄙㄨㄣ	子 ㄗˇ	㇇ 了 子 子 孑 孫 孫 孫 孫 孫
俗 ㄙㄨˊ	人 ㄖㄣˊ	ノ イ 亻 亻 俗 伀 俗 俗 俗
祭 ㄐㄧˋ	示 ㄕˋ	ノ ㄅ ㄅ ㄉ ㄉ 外 外 癸 祭 祭 祭
屈 ㄑㄩ	尸 ㄕ	㇕ ㄱ 尸 尺 屈 屈 屈 屈
楚 ㄔㄨˇ	木 ㄇㄨˋ	一 十 オ 木 朴 朴 材 林 埜 埜 棥 埜 楚
詩 ㄕ	言 ㄧㄢˊ	丶 ㄧ 亠 言 言 言 言 計 計 詿 詩 詩
賽 ㄙㄞˋ	貝 ㄅㄟˋ	丶 丷 宀 宀 宀 宓 寏 寏 實 寏 賽 賽 賽 賽 賽 賽
考 ㄎㄠˇ	老 ㄌㄠˇ	一 十 土 耂 考 考
試 ㄕˋ	言 ㄧㄢˊ	丶 ㄧ 亠 言 言 言 言 訂 訂 試 試 試
端 ㄉㄨㄢ	立 ㄌㄧˋ	丶 亠 立 立 立 立 立 立 端 端 端 端 端
江 ㄐㄧㄤ	水 ㄕㄨㄟˇ	丶 丶 氵 氵 江 江
採 ㄘㄞˇ	手 ㄕㄡˇ	一 十 才 扌 扩 扩 抒 採 採 採

V 寫寫看

Let's learn how to write Chinese characters.
Please follow the stroke order and write each one ten times.

生字及注音	部首	筆　　　　　　　　順
納 ㄋㄚˋ	糸 ㄇㄧˋ	丿 ㄥ 幺 幺 糸 糸 糸 糿 納 納
扔 ㄖㄥ	手 ㄕㄡˇ	一 十 扌 扐 扔
竹 ㄓㄨˊ	竹 ㄓㄨˊ	丿 𠂉 𠆢 竹 竹 竹
粽 ㄗㄨㄥˋ	米 ㄇㄧˇ	丶 丷 丷 半 米 米 米 米 粇 粇 粽 粽 粽 粽
源 ㄩㄢˊ	水 ㄕㄨㄟˇ	丶 冫 氵 汀 沥 沥 沥 洉 源 源 源 源 源
划 ㄏㄨㄚˊ	刀 ㄉㄠ	一 七 戈 戈 戈 划
毒 ㄉㄨˊ	毋 ㄍㄨㄢˋ	一 二 丰 丰 圭 青 毒 毒 毒
蟲 ㄔㄨㄥˊ	虫 ㄏㄨㄟˇ	丶 口 口 中 虫 虫 虫 虫 虫 虫 虫 虫 蟲 蟲 蟲 蟲 蟲 蟲
雄 ㄒㄩㄥˊ	隹 ㄓㄨㄟ	一 ナ 厷 厷 厷 厷 厷 厷 … 雄 雄 雄 雄

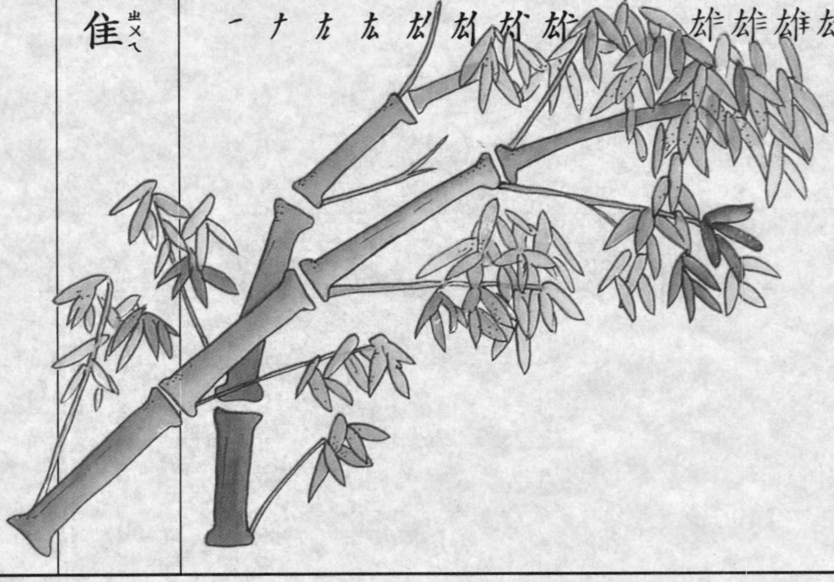

VI 讀 讀 看

Let's learn how to read Chinese characters.

劃	劃 分（divide）。劃 一（uniform）
敬	敬 上。 ㄕㄨㄣ 敬（to respect）
始	開 始
探	探 望
齣	一 齣 戲
劇	看 戲 劇。平 劇（Chinese opera）
於	於 是
照	照 片
編	編 故 事。編 教 材（compile teaching material）
寄	寄 照 片。寄 信。寄 禮 物
績	成 績
如	如 果
初	初 夏（beginning of the summer）。初 秋。月 初（beginning of the month）
課	第 十 課
北	北 方（the North）。北 方 人（northerner）

VI 讀讀看

Let's learn how to read Chinese characters.

故	故事
退	退休
殺	殺雞。殺牛。殺蟲藥。（殺：to kill）
養	休養。養狗。養動物
孫	孫女。孫子。他姓孫
俗	風俗。習俗（customs）。俗話（proverb, common saying）
祭	祭祖先（to sacrifice to ancestors）
屈	屈原（ㄑㄩ ㄩㄢˊ：a noble Chinese poet）
楚	楚國（Kingdom of ㄔㄨˇ）。清楚（clear）
詩	詩人（poet）
賽	比賽（to compete）。賽龍船（to race dragon boats）
考	考試
試	今天考試

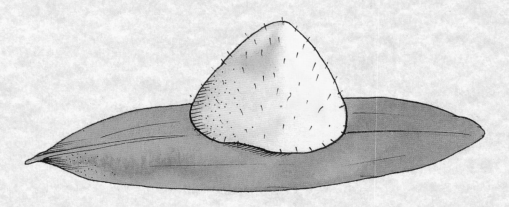

端	端午節 （ the 5th day of the 5th lunar month ）（ the Dragon Boat Festival ）
江	江水 （ river ）。跳水 （ to jump into the river ）
採	採購 （ to procure ）
納	採納 （ to adopt, to follow advice ）
扔	扔出去 （ to throw away ）。扔東西
竹	竹葉 （ bamboo leaf ）
粽	粽子 （ rice dumplings ）
源	來源 （ origin ）
划	划船 （ to row a boat ）
毒	有毒 （ to be poisonous ）。毒藥 （ poison ）
雄	雄黃 （ sulphur ）。雄黃酒 （ a kind of liquor containing sulphur ）
蟲	毒蟲 （ poisonous insect ）

1.有一天我看見父親正在看一本書，那本書上有很多照片，照片下面寫了很多字，可是我都不懂是什麼意思。

2.夏天開始熱起來了，去年我們全家回國探望我們的祖父、祖母，我們玩得很高興。

3.父親最喜歡看中國的戲劇，特別是平劇。平劇也叫京劇，現在劃一叫做國劇，是中國北（North）方人愛唱，也愛聽的戲。

4.中國有五千多年的 ㄌㄧˋ ㄕˇ（history），有很多很有名的人跟故事。於是就把這些故事編成戲劇，平劇的每一齣戲都是

很有意思的故事。

5.這學期我考試的成績很好，母親說如果
我的功課好，明年夏初也 ㄒㄩˇ 再回國
一次，我真高興極了！

6.我的祖父、祖母年紀都大了也都退休了
，他們養了很多貓跟狗，還養了很多好
看的魚。

7.我也很愛小動物，所以我寄了一封信給
他們，告訴他們，我很想念他們，最後
我祝他們身體安康，並寫上孫女李小珍
敬上。

VIII 華人的風俗 (Chinese customs)

端午節 (Dragon Boat Festival)

1. 初夏的天氣，漸漸熱起來了，中國農曆的五月五日（在國曆的六月裏）是「端午節」你想知道端午節的故事（story）嗎？現在我告訴你們。

2. 從前中國有一個國家叫楚國，楚國有一位詩人，名字叫屈原，他很愛國，可是當時的國王（king），不採納他的意見（opinion），他很傷心（sad）。就跳江自殺了。那天正好是五月初五。

3. 後來人們為了紀念他，每年這一天，就把米飯用竹葉或是別的葉子包起來，扔到江裡去祭他。這就是華人每年端午節包粽子，吃粽子的來源。

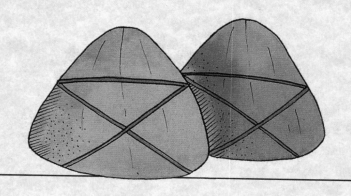

4. 因為夏天到了，天氣轉熱，一些毒蟲就要出來了，所以人們用一些有特別味兒的草，或是葉子掛在門上，毒蟲就不敢進來了。

5. 大人還做了各種好看的香包（fragrant bag），在香包裏包著草藥（medicinal herbs）跟香料（spices）給孩子們戴，也在孩子的臉上擦上雄黃（sulphur），說可以除蟲。大人們也把雄黃放在酒裡喝，聽說可以殺蟲的。

6. 每年在河裡也有划龍船的比賽（contest），熱鬧極了。

7. 像這些習俗除了台灣，中國大陸也有。

VIII 華人的風俗(Chinese customs)

端午節(Dragon Boat Festival)

我想華人住的地方都有吧。

8.你吃過粽子嗎？看過賽龍舟嗎？

Ⅸ 端午節的風俗，你看懂了嗎？
請你多讀幾遍，回答下面的問題：
（請把答案寫下來；如果你會寫中文，請用中文回答）

1. 中國農曆的幾月幾號是端午節？那時候的天氣怎麼樣？
答：

2. 屈原是那國人？他是一位什麼樣的詩人？
答：

3. 屈原為什麼會傷心得跳江自殺？
答：

4. 每年的端午節，人們用什麼法子祭他？
答：

5. 你吃過粽子嗎？粽子裏包些什麼東西？
答：

6. 他們為什麼用一些有特別味兒的草或葉子掛在門上？
　　答：

7. 人們為了除蟲，大人要喝什麼樣的酒？孩子們要戴什麼？
　　答：

8. 除了吃粽子，帶香包，喝雄黃酒以外，還有些什麼活動？
　　答：

9. 你看過賽龍船嗎？在那裡看的？你知道為什麼叫「龍船」？
　　答：

第 四 課

井 底 之 蛙
The Frog at the Bottom of a Well

I 課　文

(Text)

　　從前有一隻青蛙，住在一口井裏。牠的生活圈子很小。每天看到的，只是井上的一小片天空；聽到的，只是井水的低鳴。

　　有一天，從海裏來了一隻大海龜。青蛙就洋洋得意地對牠說：「嗨！你在井裏住過嗎？我這兒真棒！早晨起來，我在井邊跳跳舞；口渴了，我喝甜甜涼涼的井水；累了，就回到洞裏睡覺。看看那些小蝌蚪，有誰比我強呢？我是這兒的大王，自由自在，舒服極了！你為什

麼不搬到井裏住呢？」

　　大海龜聽了，探頭瞧了瞧這口井，然後告訴青蛙說：「青蛙弟弟，你去過海邊嗎？廣闊的大海，看不到邊際；深沉的大海，見不到底。海裏有千奇百怪的生物，真是一個奧妙美麗的世界！住在大海裏才真棒呢！」青蛙聽到這裏，呆住了，什麼話也說不出來。

II 生字生詞

(Vocabulary & Expressions)

1. 井ㄐㄧㄥˇ   well

2. 從ㄘㄨㄥˊ前ㄑㄧㄢˊ   a long time ago

3. 口ㄎㄡˇ   (measure word for wells)

4. 圈ㄐㄩㄢ子ㄗ   circle

5. 鳴ㄇㄧㄥˊ   gurgling

6. 海ㄏㄞˇ龜ㄍㄨㄟ   turtle

7. 洋ㄧㄤˊ洋ㄧㄤˊ得ㄉㄜ意ㄧˋ地ㄉㄜˋ   proudly

8. 涼ㄌㄧㄤˊ   cool

9. 甜ㄊㄧㄢˊ   sweet

10. 洞ㄉㄨㄥˋ   hole

11. 蝌ㄎㄜ蚪ㄉㄡˇ   tadpole

12. 強ㄑㄧㄤˊ   strong, power-ful, better

13. 大ㄉㄚˋ王ㄨㄤˊ   great king

14. 自ㄗˋ由ㄧㄡˊ自ㄗˋ在ㄗㄞˋ   freely

15. 探ㄊㄢˋ頭ㄊㄡˊ   to stick one's neck out, to stretch one's neck out

16. 海ㄏㄞˇ邊ㄅㄧㄢ   seaside

17. 廣ㄍㄨㄤˇ闊ㄎㄨㄛˋ的ㄉㄜ   wide

18. 邊(ㄅㄧㄢ)際(ㄐㄧˋ)　　edge, boundary

19. 深(ㄕ)沉(ㄔㄣˊ)的(ㄉㄜ˙)　deep

20. 千(ㄑㄧㄢ)奇(ㄑㄧˊ)百(ㄅㄞˇ) spectacular
　　怪(ㄍㄨㄞˋ)的(ㄉㄜ˙)

21. 生(ㄕㄥ)物(ㄨˋ)　　creature

22. 奧(ㄠˋ)妙(ㄇㄧㄠˋ)　　mystical

23. 美(ㄇㄟˇ)麗(ㄌㄧˋ)　　beautiful

24. 呆(ㄉㄞ)　　　astonished

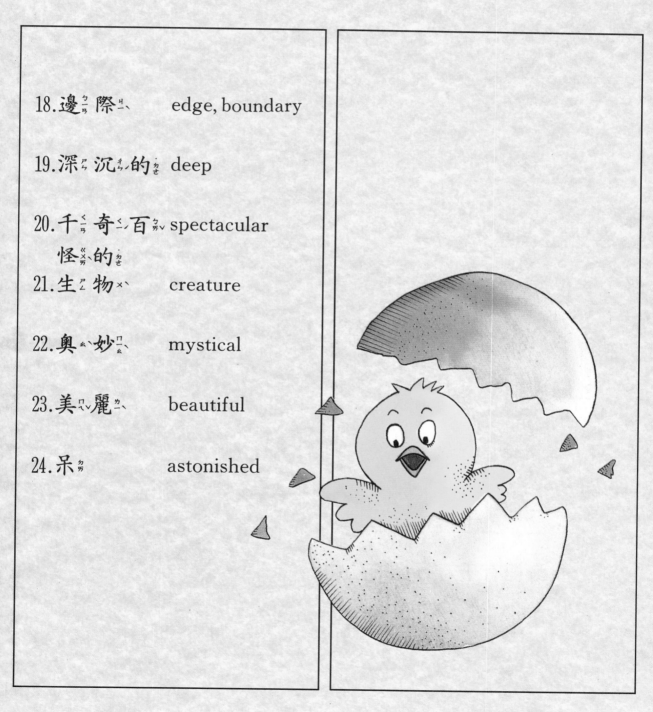

85

Ⅲ 句型練習

(Pattern Practice)

<u>V 到的，只是</u>‥‥‥‥‥‥‥‥‥。

1. <u>看到的</u>，<u>只是</u>井上的一小片天空。

   <u>聽到的</u>，<u>只是</u>井水的低鳴。

   <u>想到的</u>，<u>只是</u>溪邊的草地。

<u>　　　　　　V 不到　　　</u>。

2. 廣闊的大海，<u>看不到</u>邊際。

   深沉的大海，<u>見不到</u>底。

<u>　　　千奇百怪的 N 　　</u>。

3. 海裡有<u>千奇百怪</u>的生物。

博物館裡有千奇百怪的石頭。

那本書裡有千奇百怪的故事。

　　　　　　　什麼Ｏ也Ｖ不出來。

4.　他呆住了，什麼話也説不出來。

他呆住了，什麼歌也唱不出來。

他呆住了，什麼字也寫不出來。

他呆住了，什麼法子也想不出來。

Ⅳ 英　譯

(English Translation)

Long long ago, there was a frog which lived inside a well. His world was very small. All he saw everyday was only a small piece of sky above the well; all he heard was only the low gurgling of the well water.

One day, a big turtle came to the well from the ocean. The frog said to him proudly, "Hi ! Have you ever lived in a well? It's really wonderful here! Every morning when I get up, I dance beside the

well. When I am thirsty, I drink the cool and sweet water from the well. When I am tired, I go back to my hole to sleep. Look at those little tadpoles. Who has a better life than I? I am the great king here. I am free and comfortable! Why don't you move into the well?"

Hearing this, the big turtle stretched his head to examine the well and then asked the frog, "My brother frog, have you ever been to the seaside?

IV 英 譯

The ocean is too wide for us to see its edge; it is too deep for us to see its bottom.　There are all kinds of spectacular creatures in the ocean.　It's a really mystical and beautiful world there!　It's really great to live in the ocean!"　The frog was astonished at this, and couldn't say even a word.

V 寫寫看

Let's learn how to write Chinese characters.
Please follow the stroke order and write each one ten times.

生字及注音	部首	筆順
抽 ㄔㄡ	手 ㄕㄡˇ	一 亅 扌 扌 扣 抈 抽 抽
屜 ㄊㄧˋ	尸 ㄕ	㇇ ㇇ 尸 尸 屃 屃 屄 屏 屏 屏 屜（屉）
許 ㄒㄩˇ	言 ㄧㄢˊ	丶 亠 亠 亠 言 言 言 訁 訂 訐 許
整 ㄓㄥˇ	攴 ㄆㄨ	一 ㇀ 戸 戸 申 東 束 剌 敕 敕 敕 整 整 整 整 整
歉 ㄑㄧㄢˋ	欠 ㄑㄧㄢˋ	丶 丷 兰 并 兼 兼 兼 兼 兼 兼 兼 歉 歉 歉
普 ㄆㄨˇ	日 ㄖˋ	丶 丷 丷 廾 廾 并 并 並 並 普 普 普
塞 ㄙㄞ	土 ㄊㄨˇ	丶 丶 宀 宀 宀 宔 宙 宙 寉 寒 寒 寒 塞
偷 ㄊㄡ	人 ㄖㄣˊ	丿 亻 亻 伀 伀 俞 俞 偷 偷 偷 偷
兇 ㄒㄩㄥ	儿 ㄖㄣˊ	丿 乂 凶 凶 兇 兇
罵 ㄇㄚˋ	网 ㄨㄤˇ	丨 ㄇ 罒 罒 罒 罒 罒 罒 罒 罒 罵 罵 罵 罵 罵
突 ㄊㄨˊ	穴 ㄒㄩㄝˋ	丶 丶 宀 宀 穴 空 突 突 突
奇 ㄑㄧˊ	大 ㄉㄚˋ	一 ナ 大 太 夻 奇 奇 奇
袋 ㄉㄞˋ	衣 ㄧ	丿 亻 亻 代 代 代 代 袋 袋 袋 袋
飲 ㄧㄣˇ	食 ㄕˊ	丿 𠆢 𠆢 今 今 今 食 食 飠 飲 飲 飲
廣 ㄍㄨㄤˇ	广 ㄧㄢˇ	丶 亠 广 广 庀 庀 庀 庄 庄 廣 廣 廣 廣 廣 廣
賣 ㄇㄞˋ	貝 ㄅㄟˋ	一 十 士 士 声 声 声 声 壱 賣 賣 賣 賣 賣 賣

V 寫寫看

Let's learn how to write Chinese characters.
Please follow the stroke order and write each one ten times.

生字及注音	部首	筆　　　　　　　　　　　　　　　　順
商 ㄕㄤ	亠 ㄊㄡˋ	丶 亠 ㇒ 产 产 产 商 商 商 商
讓 ㄖㄤˋ	言 ㄧㄢˊ	丶 亠 ㇒ 言 言 言 言 訁 訁 訁 諮 諮 諮 諮 譚 譚 譚 譚 譲 譲 讓 讓
識 ㄕˋ	言 ㄧㄢˊ	丶 亠 ㇒ 言 言 言 訁 訁 訁 訁 諮 諮 諮 諮 譀 譀 識 識
飛 ㄈㄟ	飛 ㄈㄟ	㇇ ㇇ ㇈ 飞 飞 飞 飞 飛 飛
雅 ㄧㄚˇ	佳 ㄓㄨㄟ	一 ㇉ ㇉ 牙 牙 邪 邪 邪 雅 雅 雅 雅
尤 ㄧㄡˊ	尢 ㄨㄤ	一 ㇒ 尤 尤
兵 ㄅㄧㄥ	八 ㄅㄚ	㇒ ㇒ ㇀ ㇀ 丘 兵 兵
慶 ㄑㄧㄥˋ	心 ㄒㄧㄣ	丶 亠 广 户 庐 庐 庐 庐 庐 庐 庐 慶 慶 慶
鋪 ㄆㄨˋ	金 ㄐㄧㄣ	㇒ ㇒ ㇒ ㇆ 仐 仐 金 金 釒 釘 釘 鈩 鋪 鋪 鋪
傳 ㄔㄨㄢˊ	人 ㄖㄣˊ	㇒ 亻 亻 伟 伟 伃 伃 伸 俥 俥 俥 傳 傳
稻 ㄉㄠˋ	禾 ㄏㄜˊ	㇒ ㇒ 千 手 未 禾 秆 秆 秤 秤 稻 稻 稻 稻
穀 ㄍㄨˇ	禾 ㄏㄜˊ	一 ㇒ 士 吉 吉 吉 壴 壴 壴 壴 穀 穀 穀 穀
兔 ㄊㄨˋ	儿 ㄖㄣˊ	㇒ ㇒ ㇀ 召 召 免 免 兔 兔
舊 ㄐㄧㄡˋ	臼 ㄐㄧㄡˋ	丶 丷 丱 丱 芀 芀 芢 芢 萑 萑 崔 崔 舊 舊 舊 舊 舊

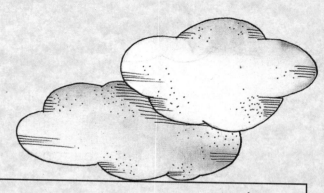

生字及注音	部首	筆　　　　　　　　　　　　　順
越 ㄩㄝˋ	走 ㄗㄡˇ	一 十 土 キ キ 走 走 走 起 越 越 越
練 ㄌㄧㄢˋ	糸 ㄇㄧˋ	ㄑ ㄠ ㄠ ㄠ ㄠ 糸 糸 紅 紀 綀 綀 綀 練 練
妙 ㄇㄧㄠˋ	女 ㄋㄩˇ	ㄑ ㄠ 女 妁 如 妙 妙
科 ㄎㄜ	禾 ㄏㄜˊ	ㄑ 二 千 禾 禾 禾 科 科
餅 ㄅㄧㄥˇ	食 ㄕˊ	ノ ㇏ ㇏ 今 今 今 食 食 食 飠 餅 餅 餅 餅
戶 ㄏㄨˋ	戶 ㄏㄨˋ	㇒ ㇏ 戶 戶
收 ㄕㄡ	攴 ㄆㄨ	㇕ ㇐ ㇐ 收 收 收
雲 ㄩㄣˊ	雨 ㄩˇ	一 ㇒ 一 雨 雨 雨 雪 雲 雲 雲 雲 雲
感 ㄍㄢˇ	心 ㄒㄧㄣ	一 厂 厂 厈 咸 咸 咸 咸 感 感 感 (感)
團 ㄊㄨㄢˊ	囗 ㄨㄟˊ	丨 冂 冂 冂 冋 冋 同 同 團 團 團 團 團 團 團

Let's learn how to read Chinese characters.

抽	抽 出 來
屜	抽 屜
許	也 許
整	整 個
歉	抱 歉
普	普 通
塞	塞 在 書 包 裡 。 塞 住
偷	小 偷 。 偷 東 西
兇	他 很 兇
罵	罵 人
突	突 然
奇	奇 怪
袋	口 袋 （ pocket ）。 紙 袋 （ paper bag ）
飲	飲 料 。 飲 茶
廣	廣 東 。 廣 東 話
賣	賣 水 果 。 賣 菜
商	商 人 。 商 店
讓	別 讓 他 拿 走 。 糖 讓 孩 子 吃 完 了 。

識	認 識
飛	飛 機
雅	西 雅 圖
尤	尤 其 是
兵	法 國 兵 。 水 兵
慶	慶 祝 （ to celebrate ）
鋪	鋪 （ㄆㄨ）在 地 上 。 店 鋪 （ㄆㄨˋ a store）
傳	傳 說 （ hearsay ）
稻	稻 米 （ rice ）
穀	稻 穀 （ unhusked rice ）
兔	兔 子（ rabbit ） 。 小 白 兔
舊	舊 習 俗 。 舊 衣 服
越	越 來 越 熟
練	練 習
妙	奇 妙
科	科 學 館 。 科 學
餅	月 餅 （ moon cake ） 。 餅 乾

Ⅵ 讀讀看

Let's learn how to read Chinese characters.

戶	家 家 戶 戶 （ all families ）
收	收 成 （ a harvest ）
雲	白 雲 （ cloud ）
感	感 到 高 興
團	團 圓 （ family reunion ）

Ⅶ 你會讀下面的句子嗎？

Can you read the following sentences ?

1. 昨天我在家裏作功課的時候，我的鉛筆盒不見了。我把抽屜裏的東西都拿出來，翻了半天還是沒有。

2. 我想也許是我忘記從學校裏帶回來了，也許是讓別人拿錯了，我真希望我的鉛筆盒沒有丟。

3. 因為那不是普通的鉛筆盒，是我父親送給我的生日禮物，怎麼辦呢？

4. 今天我去學校的時候，我在路上碰見了我的同學王小平，她急急忙忙地把我的鉛筆盒塞進我的書包裏，很不好意思地說：「真對不起，我昨天拿錯了。向你道歉，我不是偷的。」

5. 以前，王小平很兇，她常常罵人。所以我不願意跟她做朋友。今天她突然變了，她很客氣，真奇怪！

6. 從那天起，我們常常一起上學，放學一起回家。我們越來越熟，她卻不喜歡說她家裏的事情。

7. 我只知道，她姐姐認識一個法國人，她的父母不在這裏，在西雅圖，因為整個夏天不上課，她就坐飛機去那裏看她的父母。

8. 我不上課的時候，就練習中文。我越來越覺得寫中文有意思。每一個中文，都像是一張畫，或是一個小故事，真奇妙

VIII 華人的風俗(Chinese customs)

中秋節(Mid-Autumn Festival)

1. 中國農曆八月十五日是「中秋節」，國曆差不多在九月中。這個節日從前是農人的節日，因為農人從春天忙到秋天。田裏種的稻穀，樹上的果子都在秋天收成了，當然大家要高興的玩一玩，慶祝一下。

2. 秋風把雲都吹散了，看起來天空好像特別高。藍藍的天，尤其是晚上，可以看清楚天上的星星，真是「天高氣爽」，讓人覺得真舒服極了。

3. 八月十五日的月亮，更覺得特別圓，特別亮。中國有一句俗話（proverb）說「月到中秋分（ㄈㄣˋ）外明」就是這個意思。

4. 按照華人舊的習俗，家家戶戶都在這天的晚上拜月，商店裏賣各種各樣的月餅，多半是圓型的，所以有團圓的意思。

5. 中秋節的晚上，全家人都在院子坐著吃月餅，聊（ㄌㄧㄠˊ）天，爺爺奶奶就把古老的傳說故事講給孩子們聽。

6. 有人說月亮裏有一隻兔子，有的說，月亮上面有一位很漂亮的女人叫「嫦娥」（ㄔㄤˊㄜˊ），也有一棵大樹。

7. 現代科學進步（ㄐㄧㄣˋㄅㄨˋ：to make progress）我們都已經知道，月亮上面是什麼都沒有的，可是我們每年還是一樣吃月餅，過中秋節。

VIII 華人的風俗(Chinese customs)

中秋節(Mid-Autumn Festival)

8. 在舊金山華埠裏，很多廣東店鋪，也賣月餅，去飲茶的人也買幾盒月餅，裝在袋子裏，帶回家跟家人分著吃，慶祝一下八月裏的節日。

Ⅸ 讀完了中秋節的風俗，你都懂了嗎？請用中文回答下面的問題：

1. 華人的中秋節是農曆的什麼時候？那是國曆的什麼時候？

答：

2. 為什麼說這個節日從前是農人的節日？

答：

3. 為什麼說秋天是「天高氣爽」？

答：

4. 有一句俗話說：「月到中秋分外明」是什麼意思？

答：

5. 中秋節的習俗要吃什麼東西？全家人都在做些什麼？

答：

6.華人古老的傳說月亮裏有什麼？
答：

7.現在科學進步了，我們知道月亮裏有什麼？
答：

8.你吃過月餅嗎？在美國（外國）什麼地方可以買到月餅？
答：

9.你吃過的月餅裏包著什麼？請你寫下來。
答：

	Index			
注音符號第一式 (WPSI)	生 字 生 詞 Shengtz Shengtsz Vocabulary & Expressions	注音符號第二式 （MPSⅡ）	英　　　　　　　譯 English Translation	課次及 頁　次 Lesson -page
			ㄅ	
ㄅ ㄠ	報ㄅㄠˋ告ㄍㄠˋ	bàugàu	report	1-5
ㄅ ㄢ	辦ㄅㄢˋ	bàn	to do; to work on	1-5
ㄅ ㄧ	比ㄅㄧˇ賽ㄙㄞˋ	bìsài	to compete	3-59
ㄅ ㄧ ㄢ	邊ㄅㄧㄢ際ㄐㄧˋ	biānji	edge, boundary	4-85
			ㄆ	
ㄆ ㄧ	皮ㄆㄧˊ膚ㄈㄨ	pifū	skin	3-60
			ㄇ	
ㄇ ㄟ	沒ㄇㄟˊ想ㄒㄧㄤˇ到ㄉㄠˋ	méishiǎngdàu	unexpectedly	1-6
	美ㄇㄟˇ麗ㄌㄧˋ	měilì	beautiful	4-85
ㄇ ㄠ	毛ㄇㄠˊ筆ㄅㄧˇ	máubǐ	writing brush	3-60
ㄇ ㄢ	滿ㄇㄢˇ	mǎn	the whole	1-6
ㄇ ㄧ ㄠ	廟ㄇㄧㄠˋ	miàu	temple	3-59
ㄇ ㄧ ㄥ	鳴ㄇㄧㄥˊ	míng	gurgling	4-84
			ㄈ	

106

ㄈㄣ	分ㄈㄣ	fēn	to share; to split	3-59
ㄈㄨ	複ㄈㄨˋ雜ㄗㄚˊ	fùtzá	complicated	3-60

ㄉ

ㄉㄚ	打ㄉㄚˇ噴ㄆㄣ嚏ㄊ一ˋ	dǎ pēntì	to sneeze	1-5
	打ㄉㄚˇ掃ㄙㄠˇ	dǎsǎu	to clean	1-7
	大ㄉㄚˋ笨ㄅㄣˋ瓜ㄍㄨㄚ	dà bènguā	big stupid melon	2-34
	大ㄉㄚˋ王ㄨㄤˊ	dàwáng	great king	4-84
ㄉㄞ	呆ㄉㄞ	dāi	astonished	4-85
	代ㄉㄞˋ	dài	generation	2-34
	帶ㄉㄞˋ領ㄌ一ㄥˇ	dàilǐng	to lead	2-33
ㄉㄢ	擔ㄉㄢ心ㄒ一ㄣ	dānshīn	to worry	1-5
ㄉㄤ	當ㄉㄤ中ㄓㄨㄥ	dāngjūng	among	2-33
ㄉ一	低ㄉ一	dī	low	4-84
	底ㄉ一ˇ	dǐ	bottom	4-85
	地ㄉ一ˋ板ㄅㄢˇ	dìbǎn	floor	1-6
ㄉ一ㄢ	電ㄉ一ㄢˋ爐ㄌㄨˊ	diànlú	stove	1-6
	電ㄉ一ㄢˋ池ㄔˊ	diànchŕ	battery	1-6

107

注音符號第一式 (WPSI)	生 字 生 詞 Shengtz Shengtsz Vocabulary & Expressions	生字生詞索引 Index 注音符號第二式 （MPS Ⅱ）	英　　　　　　　　　譯 English Translation	課次及 頁 次 Lesson -page
ㄉㄨˊ	獨ㄉㄨˊ自ㄗˋ	dútž	alone	3-60
ㄉㄨㄛ	多ㄉㄨㄛ此ㄘˇ一一舉ㄐㄩˇ	duōtsž yìjiŭ	to do unnecessary or extra jobs	3-60
ㄉㄨㄥˋ	洞ㄉㄨㄥˋ	dùng	hole	4-84
		ㄊ		
ㄊㄡ	頭ㄊㄡˊ痛ㄊㄨㄥˋ	tóu tùng	to have a headache	1-5
ㄊㄢ	探ㄊㄢˋ頭ㄊㄡˊ	tàntóu	to stick one's neck out; to stretch one's neck out	4-84
ㄊㄧㄠ	跳ㄊㄧㄠˋ	tiàu	to jump	1-6
	跳ㄊㄧㄠˋ腳ㄐㄧˇ	tiàujiăular	to stamp one's foot	3-60
ㄊㄧㄢ	添ㄊㄧㄢ	tiān	to add	3-59
	甜ㄊㄧㄢˊ	tián	sweet	4-84
ㄊㄨ	土ㄊㄨˇ	tŭ	soil	2-33
	吐ㄊㄨˋ	tù	to throw up; to vomit	1-5
ㄊㄨㄟ	推ㄊㄨㄟ開ㄎㄞ	tuēikāi	to push away	1-6
ㄊㄨㄥ	同ㄊㄨㄥˊ伴ㄅㄢˋ	túngbàn	companion	3-60

		ㄋ		
ㄋㄢ	難ㄋㄢˊ受ㄕㄡˋ	nánshòu	not easy to endure; feel bad	1-5
ㄋㄨㄥ	弄ㄋㄨㄥˋ	nùng	to fix	1-6
		ㄌ		
ㄌㄧㄡ	流ㄌㄧㄡˊ鼻ㄅㄧˊ水ㄕㄨㄟˇ	lióubíshuěi	to have a runny nose	1-5
	流ㄌㄧㄡˊ理ㄌㄧˇ台ㄊㄞˊ	lioúlítái	counter（in the kitchen）	1-6
	流ㄌㄧㄡˊ汗ㄏㄢˋ	lióuhàn	to sweat; to perspire	2-34
ㄌㄧㄤ	涼ㄌㄧㄤˊ	liáng	cool	4-84
	兩ㄌㄧㄤˇ眼ㄧㄢˇ一一閉ㄅㄧˋ 兩ㄌㄧㄤˇ腿ㄊㄨㄟˇ一一伸ㄕㄣ	liǎngyǎn yíbì, liǎngtuěi yìshēn	to die (derogatory use) (literally : to close one's eyes and to stretch one's legs)	2-34
		ㄍ		
ㄍㄡ	搆ㄍㄡˋ	gòu	to reach	1-6
ㄍㄢ	感ㄍㄢˇ冒ㄇㄠˋ	gǎnmàu	to catch a cold	1-5
ㄍㄨ	骨ㄍㄨˇ折ㄓㄜˊ	gǔjé	bone fracture	1-6
ㄍㄨㄛ	過ㄍㄨㄛˋ癮ㄧㄢˇ	guòyǐn	to be satisfied	3-59
ㄍㄨㄤ	廣ㄍㄨㄤˇ闊ㄎㄨㄛˋ的ㄉㄜ	guǎngkuòde	wide	4-84
		ㄎ		
ㄎㄜ	蝌ㄎㄜ蚪ㄉㄡˇ	kēdǒu	tadpole	4-84

109

注音符號第一式 (WPSI)	生 字 生 詞 Shengtz Shengtsz Vocabulary & Expressions	生字生詞索引 Index 注音符號第二式 （MPSⅡ）	英　　　　　　譯 English Translation	課次及頁次 Lesson -page
ㄎㄞ	開ㄎㄞ心ㄒㄧㄣ	kāishīn	cheerfully	1-5
ㄎㄡ	口ㄎㄡˇ	kǒu	（measure word）for wells	4-84
ㄎㄢ	看ㄎㄢ守ㄕㄡˇ	kānshǒu	to watch	3-59
ㄎㄨㄢ	寬ㄎㄨㄢ心ㄒㄧㄣ	kuānshīn	relieved	3-60
ㄎㄨㄥ	恐ㄎㄨㄥˇ怕ㄆㄚˋ	kǔngpà	be afraid of	3-59
ㄏ				
ㄏㄜ	河ㄏㄜˊ北ㄅㄟˇ省ㄕㄥˇ	Héběishěng	a province in mainland China	2-33
	河ㄏㄜˊ南ㄋㄢˊ省ㄕㄥˇ	Hénánshěng	a province in mainland China	2-33
ㄏㄞ	海ㄏㄞˇ邊ㄅㄧㄢ	hǎibiān	seaside	4-84
	海ㄏㄞˇ龜ㄍㄨㄟ	hǎiguēi	turtle	4-84
ㄏㄡ	喉ㄏㄡˊ嚨ㄌㄨㄥˊ痛ㄊㄨㄥˋ	hóulúng tùng	to have a sore throat	1-5
ㄏㄢ	喊ㄏㄢˇ	hǎn	to call	2-33
ㄏㄣ	很ㄏㄣˇ久ㄐㄧㄡˇ	hěnjiǒu	long time	2-33

ㄏㄨ	壺ㄏㄨ	hú	bottle	3-59
ㄏㄨㄛ	火ㄏㄨ警ㄐㄧㄥ警ㄐㄧㄥ報ㄅㄠ器ㄑㄧ	huǒjǐng jǐngbàuchì	smoke alarm	1-5

<table>
<tr><td colspan="5" align="center">ㄐ</td></tr>
</table>

ㄐㄧㄝㄐㄧㄠ	接ㄐㄧㄝ	jiē	after; by	2-34
ㄐㄧㄠ	交ㄐㄧㄠ通ㄊㄨㄥ	jiāutūng	communication; transportation	2-33
	交ㄐㄧㄠ界ㄐㄧㄝ	jiāujiè	border	2-33
ㄐㄧㄡ	酒ㄐㄧㄡ	jiǒu	wine; alcohol	3-59
	救ㄐㄧㄡ護ㄏㄨ車ㄔㄜ	jiòuhù chē	ambulance	1-6
ㄐㄧㄢ	堅ㄐㄧㄢ定ㄉㄧㄥ	jiānding	strong	2-34
	建ㄐㄧㄢ議ㄧ	jiànyì	to suggest; to advise	3-59
ㄐㄧㄥㄐㄩㄝ	井ㄐㄧㄥ	jǐng	well	4-84
	決ㄐㄩㄝ心ㄒㄧㄣ	jiuéshīn	determination	2-33

<table>
<tr><td colspan="5" align="center">ㄑ</td></tr>
</table>

ㄑㄧ	七ㄑㄧ手ㄕㄡ八ㄅㄚ腳ㄐㄧㄠ的ㄉㄜ	chīshǒu bājiǎude	clumsily	1-6

111

注音符號第一式 (WPSI)	生 字 生 詞 Shengtz Shengtsz Vocabulary & Expressions	生字生詞索引 Index	注音符號第二式 （MPSⅡ）	英　　　　　　　　　譯 English Translation	課次及 頁　次 Lesson -page
	其ㄑㄧ中ㄓㄨㄥ		chíjūng	among	3-59
	氣ㄑㄧ		chì	mad; angry	3-60
ㄑㄧㄢ	千ㄑㄧㄢ奇ㄑㄧ百ㄅㄞ怪ㄍㄨㄞ的ㄉㄜ		chiānchí bǎiguàide	spectacular	4-85
ㄑㄧㄤ	強ㄑㄧㄤ		chiáng	strong; powerful; well	4-84
	搶ㄑㄧㄤ		chiǎng	to grab; to rob; take away something by force	3-60
ㄑㄧㄥ	請ㄑㄧㄥ假ㄐㄧㄚ		chǐngjià	to take a leave of absence	1-5
	圈ㄑㄩㄢ子ㄗ		chiuāntz	circle	4-84
		ㄒ			
ㄒㄧㄚ	嚇ㄒㄧㄚ		shià	to scare	1-6
ㄒㄧㄠ	小ㄒㄧㄠ心ㄒㄧㄣ的ㄉㄜ		shiǎushinde	carefully	1-5
ㄒㄧㄢ	先ㄒㄧㄢ生ㄕㄥ		shiānshēng	Mr.; gentleman	2-33
ㄒㄧㄤ	享ㄒㄧㄤ用ㄩㄥ		shiǎngyùng	to enjoy	3-60
ㄒㄧㄥ	興ㄒㄧㄥ奮ㄈㄣ地ㄉㄜ		shìngfènde	excitedly	3-60

		ㄓ		
ㄓ	智ㄓˋ叟ㄙㄡˇ	Jìsǒu	a person's name	2-33
ㄓㄠ	照ㄓㄠˋ顧ㄍㄨˋ	jàugù	to take care of; to look after	1-5
ㄓㄢ	戰ㄓㄢˋ國ㄍㄨㄛˊ時ㄕ代ㄉㄞˋ	Jànguó shŕdài	Warring States period (403-222 B.C.)	3-59
ㄓㄥ	掙ㄓ扎ㄓㄚˊ	jēngjá	to struggle	1-5
	整ㄓㄥˇ	jěng	the whole	3-59
ㄓㄨ	住ㄓㄨˋ持ㄔˊ	jùchŕ	keeper of a temple	3-59
ㄓㄨㄢ	專ㄓㄨㄢ心ㄒㄧㄣ地ㄉㄜ	juānshinde	attentively; whole-heartedly	3-59
ㄓㄨㄥ	重ㄓㄨㄥˋ心ㄒㄧㄣ不ㄅㄨˋ穩ㄨㄣˇ	jùngshin bùwěn	to lose one's balance	1-6
		ㄔ		
ㄔㄠ	嘲ㄔㄠˊ笑ㄒㄧㄠˋ	cháushiàu	to laugh at	2-6
ㄔㄢ	剷ㄔㄢˇ	chǎn	to shovel	2-33
ㄔㄨㄤ	闖ㄔㄨㄤˇ禍ㄏㄨㄛˋ	chuǎnghuò	to make trouble	1-6
ㄔㄨㄥ	衝ㄔㄨㄥ	chūng	to rush to	1-6
		ㄕ		
ㄕ	濕ㄕ淋ㄌㄧㄣˊ淋ㄌㄧㄣˊ	shrlínlín	wet	1-6

113

注音符號第一式 (WPSI)	生 字 生 詞 Shengtz Shengtsz Vocabulary & Expressions	生字生詞索引　Index 注音符號第二式 （MPS II）	英　　　　　　譯 English Translation	課次及頁次 Lesson -page
ㄕㄚ	傻ㄕㄚˇ兮ㄒㄧ兮ㄒㄧ地ㄉㄜ˙	shǎshishide	foolishly	2-34
ㄕㄜ	蛇ㄕㄜˊ	shé	snake	3-59
ㄕㄣ	深ㄕㄣ沉ㄔㄣˊ的ㄉㄜ˙	shēnchénde	deep	4-85
ㄕㄥ	生ㄕㄥ物ㄨˋ	shēngwù	creature	4-85
ㄗ				
ㄗ	自ㄗˋ由ㄧㄡˊ自ㄗˋ在ㄗㄞˋ	tzyóu tztzài	freely	4-84
ㄗㄢ	贊ㄗㄢˋ成ㄔㄥˊ	tzànchéng	to agree	3-59
ㄗㄤ	髒ㄗㄤ兮ㄒㄧ兮ㄒㄧ	tzāngshishi	dirty	1-6
ㄗㄨ	足ㄗㄨˊ	tzú	foot	3-59
ㄗㄨㄥ	總ㄗㄨㄥˇ有ㄧㄡˇ一ㄧ天ㄊㄧㄢ	tzǔngyǒu yitiān	eventually	2-34
ㄘ				
ㄘㄨㄣ	村ㄘㄨㄣ子ㄗ˙	tsúentz	village	2-33
ㄘㄨㄥ	從ㄘㄨㄥˊ前ㄑㄧㄢˊ	tsúngchián	long time ago	4-84
	從ㄘㄨㄥˊ此ㄘˇ以ㄧˇ後ㄏㄡˋ	tsúngtsz yǐhòu	from then on	2-33
ㄙ				

114

ㄙㄨㄢ	酸軟無力	suānruǎn wúlì	weak and sore	1-5
ㄜ				
ㄜ	餓	è	hungry	1-5
ㄠ				
ㄠ	奧妙	aùmiàu	mystical	4-85
ㄧ				
ㄧ	移	yí	to move	2-33
	移開	yíkāi	to move (away)	2-33
	一口氣喝完	yìkǒuchì hēwán	to guzzle	3-60
	意志	yìjr̀	will	2-34
ㄧㄢ	煙氣	yānchì	smoke	1-6
ㄧㄤ	洋洋得意地	yángyáng déyìde	proudly	4-84
ㄨ				
ㄨㄟ	胃	wèi	stomach	1-5
ㄨㄣ	紋路	wénlù	pattern	3-59

115

注音符號第一式 (WPSI)	生 字 生 詞 Shengtz Shengtsz Vocabulary & Expressions	生字生詞索引 注音符號第二式 （MPSⅡ）	Index 英 譯 English Translation	課 次 及 頁 次 Lesson -page
ㄩ				
ㄩ	愚ㄩˊ公ㄍㄨㄥ	Yú gūng	a person's name	2-33

祝福你

我ㄨˇ們ㄇ都ㄉ 這ㄓ樣ㄧˋ祝ㄓ福ㄈ 你ㄋˇ，　　　　　　　祝ㄓ福ㄈ 你ㄋˇ 快ㄎ樂ㄌ，

祝ㄓ福ㄈ 你ㄋˇ 健ㄐ康ㄎ，我ㄨˇ們ㄇ都ㄉ 這ㄓ樣ㄧˋ祝ㄓ福ㄈ 你ㄋˇ。

農村四季

（二部合唱）

盧雲生 詞
楊兆禎 曲

愉快地　mf

春天裡，　和風吹，　園裡蔗苗 青，

春天裡，　和風吹，　園裡蔗

田裡菜花黃。　夏天裡，　農事忙，

苗 青，田裡菜花黃。　夏天裡，　農事

早穀才收割， 晚稲又下秧。

忙， 早穀才收割， 晚稲又下秧。

秋天裡， 穀登場， 新穀滿稲場，

秋天裡， 穀登場， 新穀滿稲場，

大_{ㄉㄚˋ}家_{ㄐㄧㄚ}喜_{ㄒㄧˇ}洋_{ㄧㄤˊ}洋_{ㄧㄤˊ}！ 冬_{ㄉㄨㄥ}天_{ㄊㄧㄢ}裡_{ㄌㄧˇ}， 趕_{ㄍㄢˇ}製_{ㄓˋ}糖_{ㄊㄤˊ}，

大_{ㄉㄚˋ}家_{ㄐㄧㄚ} 喜_{ㄒㄧˇ}洋_{ㄧㄤˊ}洋_{ㄧㄤˊ}！ 冬_{ㄉㄨㄥ} 天_{ㄊㄧㄢ} 裡_{ㄌㄧˇ}， 趕_{ㄍㄢˇ}製_{ㄓˋ}

新_{ㄒㄧㄣ}糖_{ㄊㄤˊ} 好_{ㄏㄠˇ}價_{ㄐㄧㄚˋ}錢_{ㄑㄧㄢˊ}， 快_{ㄎㄨㄞˋ}樂_{ㄌㄜˋ}過_{ㄍㄨㄛˋ}新_{ㄒㄧㄣ}年_{ㄋㄧㄢˊ}。

糖_{ㄊㄤˊ}， 新_{ㄒㄧㄣ}糖_{ㄊㄤˊ} 好_{ㄏㄠˇ}價_{ㄐㄧㄚˋ}錢_{ㄑㄧㄢˊ}， 快_{ㄎㄨㄞˋ}樂_{ㄌㄜˋ}過_{ㄍㄨㄛˋ}新_{ㄒㄧㄣ}年_{ㄋㄧㄢˊ}。

青春舞曲

新疆民歌
阿禎伴奏

（活潑地）

太陽下山明天依舊爬上來，　花兒謝了明年還是照樣的開，

美麗小鳥一去無蹤影，　我的青春小鳥一樣不回來，

我的青春小鳥一一樣不回來，別得那呀喲　別得那呀喲！

我的青春小鳥一一樣不回來。

小黃鸝鳥

中國民歌
蘇夏編曲

小黃鸝鳥兒呀，　　　　你可曾知道嗎？

馬ㄇㄚˇ 　鞋ㄒㄧㄝˊ上ㄕㄤˋ綉ㄒㄧㄡˋ 　著ㄓㄜ˙ 龍ㄌㄨㄥˊ 頭ㄊㄡˊ鳳ㄈㄥˋ尾ㄨㄟˇ 花ㄏㄨㄚ，

兩ㄌㄧㄤˇ 　朵ㄉㄨㄛˇ花ㄏㄨㄚ兒ㄦ呀ㄧ˙係ㄒㄧˋ、 一ㄧㄓ隻ㄓ鞋ㄒㄧㄝˊ呀ㄧㄚ 只ㄓˇ 有ㄧㄡˇ 兩ㄌㄧㄤˇ 朵ㄉㄨㄛˇ花ㄏㄨㄚ，

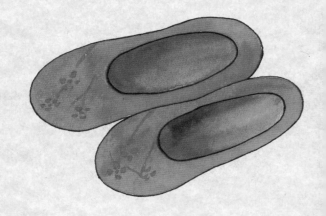

126

我和你　　　两　　个四　朵

凑　成　八朵　呀。

ppp

兒童華語課本（十一）中英文版

主　　　編：王孫元平、何景賢、宋靜如、馬昭華、葉德明

出版機關：中華民國僑務委員會

　　　　　地址：台北市徐州路五號十六樓

　　　　　電話：(02) 2327-2600

　　　　　網址：http://www.ocac.gov.tw

出版年月：中華民國八十二年七月初版

版(刷)次：中華民國九十四年九月初版六刷

定　　　價：新台幣八十元

展 售 處：國家書坊台視總店（台北市八德路三段 10 號，電話：02-25781515）

　　　　　五南文化廣場（台中市中山路 6 號，電話：04-22260330）

承　　　印：仁翔美術印刷股份有限公司

GPN：011099860119

ISBN：957-02-0739-6